Née à Paris, Annette Insdorf (ci-dessus, en compagnie de Truffaut à Washington en 1979) fut l'amie et la traductrice du cinéaste. Journaliste pour la presse et la télévision (interviews, présentation de films), elle est titulaire de la chaire de cinéma à l'université de Columbia, New York, où elle a dirigé l'école de cinéma de 1990 à 1995. Elle est l'auteur de *L'Holocauste à l'écran* (Cerf, 1985) ainsi que d'un précédent ouvrage sur Truffaut, paru aux Etats-Unis en 1978 et publié en français sous le titre *François Truffaut : le cinéma est-il magique?* (Ramsay, 1989). Chevalier des Arts et Lettres (1986), titulaire des Palmes académiques (1993), elle a reçu des prix pour des courts-métrages qu'elle a produits.

Pour des femmes courageuses,
Cecile Insdorf,
Herta Schrötter,
Rose Kornhauser.

Traduit de l'américain par Cécile Bloc-Rodot

Dépôt légal : septembre 1996
Numéro d'édition : 68171
ISBN : 2-07-053282-8
Imprimé en Italie par
Editoriale Libraria

FRANÇOIS TRUFFAUT
LES FILMS DE SA VIE

Annette Insdorf

DÉCOUVERTES GALLIMARD
CINÉMA

« ...Le cinéma m'a sauvé la vie. Si je me suis jeté dans le cinéma, c'est probablement parce que ma vie n'était pas satisfaisante pour moi dans mes années de première jeunesse, à savoir les années de l'Occupation [...]. 1942 est une date importante pour moi : c'est le moment où j'ai commencé à aller voir beaucoup de films. De dix à dix-neuf ans, je me suis jeté sur les films : je n'ai pas de recul là-dessus. »

François Truffaut

« Quand on m'a envoyé en permission à Paris, j'avais reçu toutes les piqûres pour l'Extrême-Orient, mais j'étais en permission avec de l'argent et de nouveau des films à voir et aucune envie de rentrer [...] J'ai été insoumis, je suis devenu déserteur. [...] finalement on m'a ramené en Allemagne avec des menottes, on m'a rasé le crâne... » Le jeune déserteur (ci-contre) mettra en scène l'insoumission dans *Les 400 Coups* (à gauche, Jean-Pierre Léaud).

CHAPITRE PREMIER
L'APPRENTISSAGE DU MONDE À TRAVERS L'ÉCRAN

Un narrateur affectueux

Avant de devenir cinéaste, Truffaut fut cinéphile puis critique, métier qu'il pratiqua avec passion. «Lorsque j'étais critique, je pensais qu'un film, pour être réussi, devait exprimer simultanément une idée du monde et une idée du cinéma.» Dès l'instant où il se mit à tourner, en 1954, à l'âge de vingt-deux ans (*Une Visite*, court métrage), Truffaut observa scrupuleusement ce double credo. Il ne s'attacha pas seulement à raconter des histoires émouvantes sur des personnes attachantes mais aussi à explorer et développer le langage cinématographique en invitant le spectateur à réfléchir sur les procédés magiques du récit filmique. Il a ainsi parsemé ses vingt et un longs métrages de clins d'œil qui nous rendent complices de la narration.

Dans son premier film, *Les Mistons* (1957, court métrage), Truffaut inaugure une configuration qui se retrouvera à travers toute son œuvre : un garçon, troublé par une belle femme, lui fait une

Les Mistons (ci-dessous et en bas, Gérard Blain et Bernadette Lafont) introduisent la narration en voix *off*, qui deviendra centrale au cinéma de Truffaut. Dans *Jules et Jim*, *L'Enfant sauvage* et *Les Deux Anglaises*, une voix masculine (souvent celle de Truffaut) enregistre ainsi, sans émotion, une expérience dont le sens ne surgit que plus tard.

déclaration d'amour écrite, accompagnée d'une photo. Dans cette première œuvre, une bande de garçons tombe sous le charme de Bernadette (Bernadette Lafont) qui sillonne la campagne nîmoise à bicyclette. Les petits voyeurs l'épient pendant ses sorties avec Gérard (Gérard Blain), interrompant leurs baisers dérobés. Frappés d'un coup de foudre collectif, ils gribouillent le nom des amoureux dans les lieux publics ; puis ils trouvent une carte postale suggestive d'un homme et d'une femme et la signent avec défi «les Mistons» avant de la leur envoyer. Déjà, ils apprennent à canaliser leur désir, à transformer en mots leur ressentiment.

L'enfance… ou «Les 400 Coups»

Les 400 Coups (1959) puisent leur inspiration dans la propre enfance de François Truffaut. Né à Paris en 1932, il passa ses premières années en nourrice, puis chez sa grand-mère, ses parents ayant peu de contact avec lui. Quand sa grand-mère mourut, il retourna «chez lui». Il avait huit ans. Enfant unique d'une mère qui exigeait de lui qu'il soit silencieux et invisible, il trouva refuge dans la lecture, puis dans le cinéma.

Tout comme Antoine Doinel, le héros du film, Truffaut fit de la salle de cinéma un chez-lui de substitution : il s'y glissait en douce par les portes de sortie ou la fenêtre des toilettes, ou bien volait de l'argent pour payer sa place. Dans *Les 400 Coups*, Antoine et René rejouent la délinquance et la cinémanie des jeunes François Truffaut et Robert Lachenay, camarade d'école, de fugue et de cinéphilie, qui sera assistant à la régie du film.

Premier long métrage de Truffaut, *Les 400 Coups* sont superbement dénués de sentimentalisme. Ils sont aussi un avant-produit de cette esthétique définie par les réalisateurs de la «Nouvelle Vague». Ceux-ci, pour la plupart, ont été critiques aux *Cahiers*

« C'est certainement à ma mère que je suis redevable d'avoir très tôt aimé la lecture. Une fois pour toutes elle m'avait interdit de jouer, de bouger ou même d'éternuer. Je ne devais pas quitter la chaise qui m'était allouée mais par contre je pouvais lire à volonté à condition de tourner les pages sans faire de bruit.» Cet extrait du cinéroman de *L'homme qui aimait les femmes* est l'exacte expression des propres souvenirs de Truffaut (ci-dessus, enfant). L'incarnation de cette passion pour la lecture fut Balzac, l'un de ses écrivains préférés, qu'il évoquera tout au long de son cinéma : dans *La Peau douce*, *La Sirène du Mississippi*, *Baisers volés* et *Les Deux Anglaises*, où la statue de Balzac par Rodin tient une place prééminente.

du cinéma : Jean-Luc Godard, Claude Chabrol, Jacques Rivette, Eric Rohmer, ou encore Alain Resnais, Louis Malle et Agnès Varda, qui n'étaient pas critiques. Ils cherchaient à libérer le cinéma français d'une certaine tradition de qualité fondée sur une narration linéaire classique. Ils mettaient en avant les notions de style et d'«auteur», et celle de «caméra-stylo», dont l'écriture peut révéler la griffe du réalisateur aussi sûrement que le stylo de l'écrivain : *Les 400 Coups* en sont une illustration forte.

En racontant l'histoire du jeune Antoine, négligé par sa famille et isolé jusqu'à la marginalisation, Truffaut avance et recule à la fois dans le temps : il évoque sa propre expérience tout en forgeant un langage cinématographique qui deviendra, au cours des années soixante, de plus en plus sophistiqué.

Les 400 Coups étaient à l'origine un projet de court métrage intitulé *La Fugue d'Antoine* : en bas, à gauche, la liste des titres possibles du futur long métrage. Le projet se transforme en une plus longue chronique centrée sur l'expérience d'école buissonnière – celle que faisaient le jeune Truffaut et son copain de classe Robert Lachenay (en haut, à droite) et celle qu'il filmera (page de droite).

«Where is the father?»

Comme Antoine, Truffaut a fugué pour la première fois à l'âge de onze ans, après avoir inventé un bobard extravagant pour expliquer ses absences de l'école. Si Antoine prend pour prétexte la mort de sa mère, Truffaut raconta au professeur que son père avait été arrêté par les Allemands. On sait aujourd'hui que le père biologique de Truffaut – qu'il n'a jamais connu – fut un dentiste juif, ce qui rend cette excuse particulièrement poignante. Sa mère, secrétaire au journal *L'Illustration*, n'avait que dix-sept ans à sa naissance ; à dix-huit, elle rencontra Roland

les quatre cent coups

UN FILM DE
FRANÇOIS TRUFFAUT
AVEC **CLAIRE MAURIER** ET **ALBERT RÉMY**
GUY DÉCOMBLE - **GEORGES FLAMANT** - PATRIC

Truffaut, dessinateur chez un architecte, qu'elle épousa en 1933, et qui reconnut François comme son fils. La relation malaisée d'Antoine avec son père adoptif reflète celle du réalisateur. Après que le jeune François lui-même eut commis quelques vols mineurs, Truffaut père le livra à la police.

Il n'est pas surprenant, dès lors, que l'un des thèmes dominants de l'œuvre de Truffaut – quoique de manière subtile – soit celui de la paternité, ni que sa carrière entière fût marquée par une dévotion toute filiale à des mentors comme André Bazin, Jean Renoir et Alfred Hitchcock. Dans *Les 400 Coups*, le cours de prononciation anglaise tourne autour de cette question qui ne peut être articulée qu'avec difficulté : «*Where is the father?*» – une phrase qui résonne à la fois à l'intérieur du film et dans la vie du réalisateur.

"Les 400 coups"

Quand Truffaut rencontre Léaud

Sur soixante garçons qui répondirent à la petite annonce parue dans *France-Soir* en octobre 1958, le metteur en scène choisit Léaud, alors âgé de quatorze ans, parce qu'«il voulait profondément ce rôle [...] un solitaire asocial au bord de la révolte». Il encouragea le garçon à utiliser ses propres mots plutôt qu'à coller au scénario. Le résultat atteint le but de Truffaut : «ne pas dépeindre l'adolescence du point de vue habituel de la nostalgie sentimentale, mais [...] la montrer comme l'expérience douloureuse qu'elle est.» Sorti en juin 1959, *Les 400 Coups*, film dédié à Bazin, obtinrent la même année le grand prix de la mise en scène au festival de Cannes.

Au début des *400 Coups*, le professeur surprend Antoine en train de regarder une image de pin-up et l'envoie au coin. Antoine griffonne sur le mur : «Ici souffrit le pauvre Antoine Doinel / Injustement puni par Petite Feuille / Pour une pin-up tombée du ciel… / Entre nous ce sera dent pour dent, œil pour

Ci-dessus, au festival de Cannes de 1959 et de gauche à droite, Albert Rémy, qui joue le rôle du père dans *Les 400 Coups*, Jean-Pierre Léaud, Jean Cocteau, Truffaut et Claire Maurier qui joue le rôle de la mère. Le film vient de recevoir le grand prix de la Mise en scène, récompense qui prélude à une série de prix et d'éloges, dont la sélection aux États-Unis pour l'Oscar du «meilleur scénario».

Les 400 Coups sont dédiés à André Bazin (ci-dessous), que Truffaut considérait comme son père adoptif. Truffaut rencontra Bazin en 1947, l'année où il créait le cercle Cinémane. Mais il dut fermer son ciné-club, en concurrence avec celui de Bazin, et se fit arrêter pour cause de factures impayées. C'est Bazin, cinéphile profondément humaniste, qui le fit remettre en liberté et l'encouragea à écrire sur le cinéma en

l'introduisant auprès des équipes des *Cahiers du cinéma* et d'*Arts*. Roberto

œil.» L'expression écrite est la clé de la liberté, surtout quand elle est clandestine ; plus tard, il forge un mot d'excuses de sa mère justifiant ses absences répétées de l'école. Comme Truffaut, Antoine découvrira la majesté de l'écrit dans Balzac : *La Recherche de l'absolu* enflamme l'imagination du jeune garçon au point qu'il rend une rédaction que le professeur considère comme un plagiat ! Antoine s'est approprié l'écriture de Balzac et lui a même construit un petit autel.

Se sentant de trop en classe comme à la maison, Antoine éprouve finalement un instant de liberté dans une fête foraine. Le rotor, cet énorme cylindre tournant à l'intérieur duquel Antoine

Rossellini – l'un des plus grands réalisateurs selon Bazin lui-même – fut une autre figure paternelle. Truffaut sera son assistant de 1956 à 1958.

Jean-Pierre Léaud, comme Truffaut quelques années plus tôt, s'entendait mal avec ses parents – son père, Pierre, scénariste, et sa mère, Jacqueline Pierreux, comédienne. Après avoir incarné Antoine Doinel, il ira plus loin que l'écran : il s'installe chez le réalisateur, son père spirituel, à qui il ressemble comme un fils (en bas, à droite). Léaud dira «Truffaut est mon père, Godard est mon oncle et Henri Langlois mon grand-père.» Il se fera assistant de son «père» sur *La Peau douce*, et de son «oncle» sur *Une Femme mariée*, *Alphaville* et *Pierrot le fou*. En haut à gauche, Antoine Doinel devant une photo de *Monika* d'Ingmar Bergman (1953). «Les grands ébranlements, pour les cinéastes de la Nouvelle Vague, ce furent l'apparition de Brigitte Bardot, la photo d'Harriet Andersson […]; des images de femmes qui imposaient qu'on ne les filme plus comme avant.» (Serge Daney)

se laisse emporter, est plus qu'une attraction exaltante ; il ressemble à un zootrope, le précurseur de la caméra.

Les 400 coups propulsèrent ainsi le critique Truffaut au rang de cinéaste. Le film fut un de ses plus grands succès et le fit connaître dans le monde entier, aux Etats-Unis surtout, grâce à Alfred Hitchcock, que Truffaut avait déjà commencé à interviewer.

De voyou, Truffaut est devenu non seulement critique, puis cinéaste, mais aussi mari, puis producteur. En 1957, il épousa Madeleine Morgenstern (à gauche, avec leur fille Laura, en 1959), fille du producteur et distributeur Ignace Morgenstern. Truffaut créera sa propre maison de production, Les Films du Carrosse, en hommage au film de Jean Renoir, *Le Carrosse d'or* (1952). La société produira les films de Truffaut et ceux de ses confrères, tels Eric Rohmer (*Ma Nuit chez Maud*) et Jean-Louis Richard (*Mata Hari*).

Mi-tragique, mi-comique

Le regard réflexif de Truffaut sur son art se développe dans *Tirez sur le pianiste* (1960), un film noir audacieux et riche en allusions, jouant sur un registre tragi-comique. Tout en racontant l'histoire du pianiste Charlie (Charles Aznavour) et des deux femmes qu'il aime sans pouvoir les sauver, *Tirez sur le pianiste* se signale sans cesse à l'attention du spectateur pour ce qu'il est : un film. De façon souvent réjouissante, comme dans cet insert où l'on voit soudain une vieille femme tombant à la renverse tandis qu'un des gangsters s'exclame : «Je te le jure sur la tête de ma mère qui meurt à l'instant !»

Truffaut a adapté le film d'un roman de David Goodis, transformant un ensemble de rues sombres en un terrain fertile pour gangsters comiques et amants maudits. Charlie n'est autre qu'Edouard Saroyan, ancien pianiste classique à la célébrité timide, qui a troqué sa gloire pour l'anonymat rassurant d'un pianoteur dans un bar de

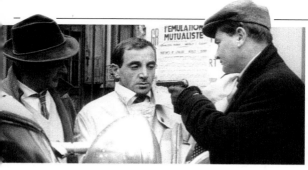

Dans la dernière lettre de sa *Correspondance*, Truffaut écrit à Annette Insdorf : «le 12 septembre dernier [1983], j'ai été opéré d'un anévrisme au cerveau mais la critique cinématographique avait vingt ans d'avance

quartier. On apprend à travers une suite de flash-backs que sa femme Thérésa (Nicole Berger) s'est donnée à un imprésario pour lancer sa carrière ; après son suicide, Edouard est devenu Charlie. Quand la serveuse du bar, Léna (Marie Dubois), l'invite à un autre amour possible, il se risque de nouveau à éprouver un sentiment.

L'un des aspects les plus frappants de *Tirez sur le pianiste* est la manière dont Truffaut opère les changements de ton. La caméra de Raoul Coutard (qui tourna la même année *A bout de souffle* de Jean-Luc Godard) est animée et nerveuse,

sur la médecine officielle, car dès la parution de mon deuxième film, *Tirez sur le pianiste*, elle avait affirmé que ce film ne pouvait pas avoir été tourné par quelqu'un dont le cerveau fonctionnait normalement.» Aznavour (en haut et en bas, avec Truffaut et Marie Dubois), qui ressemble au metteur en scène comme un frère, incarne une timidité partagée par le réalisateur qui écrivait en 1959, à propos du *Pianiste* : «Ce sera décidément un documentaire sur la timidité.»

à l'image des héros et, sans doute, de celle du réalisateur. Imprévisible en dépit de sa construction serrée, le film réinvente le récit cinématographique.

Un chef-d'œuvre doux amer : «Jules et Jim»

Le mélange des tons se retrouve dans le film suivant, *Jules et Jim* (1961), adapté du roman autobiographique d'Henri-Pierre Roché. Ce chef-d'œuvre doux amer traite de l'amitié, de l'amour et de l'adoration masculine pour une «déesse» qui se révèle trop humaine. Deux amis, Jules (Oskar Werner) et Jim (Henri Serre), tombent amoureux du sourire d'une statue. Ils rencontrent Catherine (Jeanne Moreau), une très belle femme qui leur semble incarner la beauté de la statue. Jules l'épouse. La Première Guerre mondiale sépare l'Allemand Jules du Français Jim, mais ils finissent par se retrouver au chalet de Jules. Jim séjourne avec le couple et leur fille Sabine;

quelque temps après, les rôles changent, Jim devenant l'amant de Catherine tandis que Jules demeure l'ami dévoué de sa femme. Catherine décide de vivre avec Jim et d'avoir des enfants de lui, mais elle n'y parvient pas. Elle revient vers Jules – avec de fatales conséquences.

Dans la première partie du film, Truffaut suscite notre intérêt et notre affection pour des personnages qui pourraient paraître peu sympathiques grâce à une caméra très mobile; puis dans la seconde partie, il nous distancie d'eux à travers une présentation plus statique. De cette manière, il ne condamne ni n'approuve cette relation triangulaire, laissant la spéculation morale aux soins du public. La caméra

❝*Jules et Jim* m'a véritablement épuisé. [...] Sur une donnée très scabreuse, c'est un film que je crois profondément moral, ne serait-ce que par l'épouvantable tristesse qui s'en dégage. C'est la troisième fois que cela m'arrive : commencer un film en imaginant qu'il sera amusant et m'apercevoir en cours de route qu'il n'est sauvable que par la tristesse.❞

François Truffaut

Pour Truffaut, Jeanne Moreau (ci-contre et ci-dessous) «a une sorte d'autorité morale. Elle est très physique, très charnelle, mais elle empêche toute lascivité sur l'écran. Elle est comme l'amour, pas comme le libertinage. Quand on la connaît, on trouve qu'elle a des qualités masculines aussi bien que féminines, évitant le raisonnement laborieux des hommes, aussi bien que la coquetterie des femmes.»

ne se contente pas d'enregistrer, elle prend part à l'activité physique à travers laquelle la relation se développe. Lorsque le trio roule à bicyclette dans la campagne ou batifole sur la plage, la caméra montre la même liberté de mouvement que son sujet, additionnant travellings, panoramiques et ouvertures de champ.

Les copains d'abord

Comme dans *Tirez sur le pianiste*, le résumé de l'action ne rend pas compte de la teneur du film. S'il est nécessaire d'entendre la musique de Georges Delerue pour accéder à l'univers mental de Charlie, on ne peut minimiser l'importance dramatique et symbolique de l'art dans *Jules et Jim*. L'amitié des deux hommes grandit tandis qu'ils traduisent leurs poèmes respectifs et discutent de Shakespeare; Jim écrit un roman sur deux amis intitulé *Jacques*

et Julien, et le passage qu'il lit à Jules les compare à Don Quichotte et Sancho Pança – précisément les noms que le narrateur donne à Jules et à Jim à la fin du film.

Les changements d'époque de ce film, qui se déroule sur vingt ans, sont marqués non par le maquillage, mais par l'art – à travers les œuvres de Picasso. A l'arrière-plan de nombreuses scènes se trouvent des peintures représentant ses différentes périodes ; ainsi notre mesure du temps est-elle fonction d'une sensibilité à un contexte esthétique. La structure et la progression de *Jules et Jim* sont encore soulignées par la musique. La chanson de Catherine, *Le Tourbillon*, entonnée à mi-film, offre simultanément un commentaire de l'action antérieure et un aperçu de l'avenir. Elle évoque une rencontre, une brève aventure, une séparation, puis une réunion, en un cycle perpétuel, reflétant la «géométrie» même du film.

Truffaut a reçu peu d'éducation formelle mais son cinéma est rempli de savoir – et d'enseignement. C'était un autodidacte en terme de cinéma mais aussi en terme de littérature, de peinture et de musique. Ses films ne sont pas seulement de riches créations en tant que tels ; ils éclairent la manière dont le cinéma opère la fusion d'autres formes d'art, par le mot, l'image, et la note musicale. Paradoxalement, c'est à un gosse des rues, un rebelle adepte de l'école buissonnière, que l'on doit d'avoir découvert, synthétisé et célébré ce qui constitue la matière vive du cinéma.

La «vraie» Catherine et la «vraie» madame Roché avouèrent à Truffaut que *Jules et Jim* leur faisait revivre les moments les plus intenses de leur vie.

« Reprocher à Hitchcock de faire du suspense équivaudrait à l'accuser d'être le cinéaste le moins ennuyeux du monde, cela équivaudrait encore à blâmer un amant de donner du plaisir à sa partenaire au lieu de ne s'occuper que du sien propre.»

François Truffaut

CHAPITRE II
LES ANNÉES HITCHCOCK

Truffaut compte parmi les vedettes qui rendirent hommage à Alfred Hitchcock lors de l'American Film Tribute, en février 1979. Dans un anglais qu'il savait imparfait, il expliquait : «Vous filmez les scènes d'amour comme des scènes de meurtre et les scènes de meurtre comme des scènes d'amour.»

La période «hitchcockienne» de Truffaut – *La Peau douce* (1964), *Fahrenheit 451* (1966), *La mariée était en noir* (1968) et *La Sirène du Mississippi* (1969) – commence et s'achève avec l'usage du suspense, et avec Balzac. Dans *La Peau douce*, Pierre Lachenay (Jean Desailly) donne des conférences sur Balzac, tandis que Louis Mahé (Jean-Paul Belmondo) dans *La Sirène* lit *La Peau de chagrin*. Même lorsque Truffaut traite de culpabilité, de soupçon et de meurtre – trois thèmes centraux chez Hitchcock – il y entremêle la littérature (ainsi que la peinture dans *La Mariée*).

Pendant cette période, Truffaut écrivait lui-même un livre, qui parut en 1966 : *Le Cinéma selon Hitchcock*, en collaboration avec Helen Scott, chargée des relations publiques au French Film Office à New York. L'ouvrage est une espèce de manifeste, le résultat d'entretiens que Hitchcock a accordés au jeune Truffaut, dont il a admiré *Les 400 Coups*. Il révèle presque autant

S i l'idée originale de *La Peau douce* (1964) appartient à l'imagination de son réalisateur, la fin de ce drame d'adultère – le crime passionnel – fut inspirée par un gros titre de presse. Truffaut

Le fait divers qui fut à l'origine du film de Truffaut "La peau douce" évoqué devant les Assises de la Seine

l'interviewer que le maître. Le cinéaste français utilisera certains films de Hitchcock, tels que *Fenêtre sur cour*, comme modèles pour son propre travail.

Un drame contemporain

La Peau douce est un drame d'adultère construit suivant les principes hitchcockiens de montage et de narration. Pierre, auteur et conférencier à succès, est marié à la séduisante Franca (Nelly Benedetti). Au cours d'un voyage, il rencontre une hôtesse

avait l'habitude de découper dans les journaux les articles sur les faits divers, qui lui servaient de source d'inspiration cinématograhique.

de l'air, Nicole (Françoise Dorléac).
D'abord timoré, il réussit à la séduire,
mais les amants se heurtent à des
difficultés pratiques.

La séquence d'ouverture installe la
tension : les mouvements précipités de
Pierre ne prennent sens que lorsque le
spectateur apprend qu'il est sur le point
de manquer son avion pour Lisbonne.
Truffaut introduit là ce que Hitchcock
définit comme le suspense, le public
s'inquiétant de voir Pierre arriver à
temps à l'aéroport. Le montage offre
une vue en puzzle du monde de Pierre,
à travers des images nerveusement
accélérées. Ce n'est que lorsqu'il rejoint
l'avion en courant que le public peut
pousser un soupir de soulagement.

Lorsque Pierre et Nicole, encore étrangers l'un à
l'autre, arrivent à l'hôtel, Truffaut use brillamment de
la forme cinématographique pour transmettre leur
émotion. Dans l'ascenseur, des plans rapides sur le
cadran d'affichage des étages ponctuent le regard
romantique de Pierre et la réaction embarrassée de
Nicole. Le temps de la montée en ascenseur est ainsi
dilaté, soulignant encore la tension. Lorsqu'il

Helen Scott (ci-
dessous, à droite)
fut plus qu'une
collaboratrice pour
Truffaut. Cette
complice américaine
quitta New York pour
vivre à Paris auprès
du réalisateur, devenu
une sorte de frère.
Avant son départ,
Truffaut écrivait à
«Ma douce Scottie»
(Correspondance,
30 mars 1960) : «Vous
n'êtes pas de celles que
l'on oublie facilement ;
autrefois, Scott c'était
pour moi l'évocation
de l'Antarctique,
maintenant Scott,
c'est New York, oui,
et même plus Ivanhoé.
Si donc Scott c'est
New York, la belle
Hélène, c'est Paris,
vous voyez que nous
sommes reliés l'un à
l'autre. Mais je ne suis
pas certain que vous
aimiez les calembours,
les jeux de mots vaseux
qui sont autant de
dérobades de la part
d'esprits
virevoltants
un peu
féminins…»

« **P**ar exemple, j'avais envie de voir un homme et une femme dans un ascenseur [ci-contre, Françoise Dorléac et Jean Desailly dans *La Peau douce*]. Comment ils s'observent, comment ils se rêvent, comment ils sont curieux l'un de l'autre […]. J'ai fait un film sur l'adultère, mais en m'appliquant à tourner les scènes que l'on ne montre pas habituellement. […] Ce qui me plaisait, c'était de commencer une scène par le poncif et de le dépasser. » La critique de l'époque (1964) ne le comprit pas, comme l'explique Michel Perez dans *Le Matin*, vingt ans plus tard : « On lui reprochait de tourner le dos aux grands problèmes de société et à la réflexion politique qu'on croyait du devoir de tout jeune cinéaste d'aborder, à la fin de la guerre d'Algérie, surtout s'il avait dénoncé la démission d'un cinéma français figé dans ses routines de qualité passe-partout. On comprenait mal qu'un homme de son âge et de son renom puisse se vouloir délibérément classique et borner son ambition à des exercices de mise en scène, fussent-ils prestigieux, accomplis, de toute évidence, en regard de l'œuvre d'Alfred Hitchcock. »

rassemble assez de courage pour l'inviter à prendre un verre et qu'elle finit par dire oui, Pierre exprime son exaltation en allumant toutes les lampes de sa chambre : tandis que les halos de lumière se joignent les uns aux autres, la joie emplit l'écran. *La Peau douce* se termine cependant par un meurtre. Franca, ayant appris l'infidélité de son mari, vient l'abattre au beau milieu d'un restaurant bondé – judicieux hommage au maître Hitchcock.

En couleurs et en anglais

Si Truffaut a pu faire sien un certain style visuel de Hitchcock, il n'a jamais bien maîtrisé la langue anglaise. Il a souvent résisté à la tentation de tourner en anglais et *Fahrenheit 451* constitue une exception – dont le producteur américain Lewis Allen est l'initiateur. L'expérience fut un défi et donna lieu à un journal de tournage. Produit avec des capitaux américains à Londres, *Fahrenheit 451* – premier film en couleurs de Truffaut – est une adaptation du roman de science-fiction de Ray Bradbury, décrivant une société future où l'écrit est interdit et dont les pompiers sont chargés de brûler les livres. L'un d'eux, Montag (Oskar Werner), rencontre une jeune femme, Clarisse (Julie Christie); sous son influence, il commence à lire et à aimer les livres. Sa femme, Linda (également jouée par Julie Christie) le dénonce sous l'effet de la peur, et Montag est poussé à tuer son capitaine (Cyril Cusack) au lance-flammes. Il s'enfuit dans une colonie d'«hommes-livres».

Le générique est dit (et non écrit) pendant que défile une série de zooms, chacun teinté d'une couleur

Le chef opérateur de *Fahrenheit 451* (ci-dessous, Oskar Werner dans le rôle de Montag) fut Nicolas Roeg, qui devint lui-même un grand réalisateur. On peut citer parmi ses films *Walkabout* (1972), *Don't Look Now* (1973) et *Bad Timing* (1979). En 1996, une nouvelle version de *Fahrenheit 451* est en cours de préparation sous la direction de Mel Gibson, à la fois réalisateur et acteur. Parmi toutes les modifications qu'il apporte, deux actrices différentes pour les rôles joués par Julie Christie. Travaillant avec Terry Hayes, le scénariste de *Road Warrior*, Gibson – dont *Braveheart* fut un succès international – met en valeur l'aspect spectaculaire de ce drame de science-fiction.

différente, sur des toits hérissés d'antennes de télévision. Dans une société qui interdit les livres, Truffaut diffère l'apparition du mot imprimé afin que sa première occurrence constitue un moment privilégié.

Si Hitchcock est un maître de l'angoisse, la séquence d'ouverture de *Fahrenheit 451* montre à quel point Truffaut a su retenir la leçon : dans un montage serré et haletant, il entrecoupe les images d'un camion de pompiers rouge déboulant à toute allure avec celles d'un homme en fuite. Puis apparaissent les pompiers, dont les uniformes sont très chargés : vêtus de noir, ils rappellent les escadrons SS, tandis que les robes de cérémonie blanches qu'ils portent quand ils brûlent les livres évoquent celles des membres du Ku Klux Klan. Le plan de l'incendie est un ralenti qui intensifie la «douleur» des pages tombant dans le bûcher.

Le lundi, nous brûlons Miller ; le mardi, Tolstoï...

Hommes-livres ou livres-hommes ?

Les livres sont filmés comme s'ils étaient humains – des objets qui, tels le briquet dans *L'Inconnu du Nord Express* (1951) ou la clé des *Enchaînés* (1946) de Hitchcock, à travers des gros plans et un découpage particulier, sont pénétrés d'une vie intérieure. Quand Montag commence à lire *David Copperfield*, la caméra avance en plans de plus en plus rapprochés vers la page tandis que le «battement» de cœur du texte est suggéré par le rythme du montage. De même que les lettres sont, dans les autres films de Truffaut, des textes vivants, les livres apparaissent ici comme

des entités visuelles et tactiles – des «textures» animées.

Le mot écrit est le support de la mémoire : cette fonction est mise en évidence avec force dans la dernière séquence du film. Montag s'enfuit pour rejoindre les hommes-livres, qui ont chacun appris un texte par cœur, devenant ainsi la chose qu'ils aiment. Il abandonne finalement son nom et son identité – homme-livre plutôt qu'homme libre, comme un autel vivant au texte – pour «devenir» les *Histoires extraordinaires* d'Edgar Allan Poe.

" Je n'aime pas l'idée selon laquelle le cinéma s'adresserait aux gens qui ne lisent pas. Des films [...] m'ont décidé à devenir metteur en scène mais avant cela, des romans [...] m'avaient donné l'envie et l'espoir de devenir un romancier. Les films que j'ai tournés d'après des livres [...] ne constituaient pas dans mon esprit des «adaptations» d'histoires littéraires au sens dramaturgique de l'expression mais plutôt, et délibérément, des «hommages filmés» à des livres que j'aimais. Cet amour jumelé pour les livres et les films m'a amené en 1966 à tourner *Fahrenheit 451.***"**

François Truffaut

Ci-dessus, le personnage de la femme qui choisit de brûler avec ses livres.

En dépit de la différence de sujet, cette liturgie de la mémoire crée un curieux parallèle entre *Fahrenheit 451* et le film suivant, *La mariée était en noir*, dont le thème, là encore, est celui du devoir des vivants à l'égard des morts.

Une mariée entre culpabilité et innocence

Jules et Jim filmait une Jeanne Moreau capable d'incarner une héroïne tout à la fois énigmatique de beauté et implacable de vengeance. C'est ce même talent pour l'ambiguïté que l'on retrouve dans *La mariée était en noir*. Julie est peut-être la moins sympathique des héroïnes de Truffaut, particulièrement quand le spectateur découvre que les cinq hommes qu'elle a exécutés par vengeance ont tué son mari par accident. Mais le film joue sur l'interrelation complexe, hitchcockienne, entre culpabilité

> **"**En fait, une chose me passionnait : faire un film d'amour sans aucune scène d'amour. Vous ne trouverez pas un seul baiser dans ce film, rien. [...] Chaque homme représente une façon différente de voir les femmes car *La Mariée* me permettait d'utiliser six comédiens avec qui je rêvais de travailler depuis longtemps. [...] Récemment je me suis aperçu que *La Mariée* ressemble aux *Mistons*; les hommes que rencontre Jeanne Moreau sont les mistons qui ont grandi.**"**
> François Truffaut

Ci-dessous Jeanne Moreau et Charles Denner dans *La mariée était en noir* (1967).

et innocence, bonté et méchanceté, entre l'horreur du crime et la compassion du public.

Julie s'insinue dans la vie de ses cinq victimes en incarnant la femme de leurs rêves. Alors que quatre des hommes tombent dans son piège, Fergus (Charles Denner) est le seul qui semble avoir une chance : après tout, c'est un artiste, et il transforme Julie en une œuvre d'art. Mais Fergus commet la même erreur que Jules et Jim : en déifiant son modèle – il la peint sous les traits d'une Diane chasseresse –, il se rend aveugle à sa faillibilité humaine. Elle le transpercera avec la flèche même qu'elle tient pendant la pose, tuant l'artiste éperdu d'amour comme un simple gibier.

Julie refuse d'être capturée, que ce soit par l'art ou par la

"La mariée était en noir, je pique encore cette formule à Cocteau (dans Phénixologie), a «un pied sur le sol ferme, un autre dans le songe». Avec ce film fragile taillé dans le roc, ce film pudique plein d'insolence, ce film d'avant-garde aux allures académiques, François Truffaut poursuit un «rêve taciturne» qui devrait

JULIE : je m'appelle Alphausine

Fergus : C'est un très beau nom, d'ailleurs je n'aime que les noms paysans : Ernestine, Charlotte, Julie, Alphausine c'est très bien, Alphausine comment ?

en temps

JULIE : Et si vous m'appelez Diane tout court...?

Julie jette un dernier coup d'œil devant la glace pour vérifier sa tenue.

police, et lacère la peinture de son visage au rasoir – une image éloquente du penchant à l'auto-destruction qui caractérise nombre des héroïnes de Truffaut.

le mener jusqu'à la limite extrême de sa propre vérité ou, ce qui revient au même, de son irradiante poésie.**"**
Claude Beylie,
Cinéma 68

Une héroïne en noir et blanc

Les costumes mêmes sont chargés de sens. Dans
ce film en couleurs, Julie ne porte que du noir et
du blanc. Ses vêtements représentent son goût
de l'absolu – la pureté de ses objectifs, la noirceur de
ses actes. Des rayures noires se signalent violemment
à l'attention sur sa robe blanche, révélatrices de son
combat intérieur et de la manière dont le bien et le
mal sont inextricablement liés chez Truffaut comme
chez Hitchcock.

Le réalisateur a modifié le roman de William Irish
en fonction de principes hitchcockiens. Alors que
le livre ne dévoile le mobile de Julie qu'à la fin –
l'énigme demeure ainsi un mystère – le film inclut
un flash-back après le
deuxième meurtre, qui
transforme l'énigme en

L'écrivain William
Irish, autre nom
de Cornell Woolrich,
fournit un pont
important entre
Hitchcock et Truffaut :
*La mariée était en
noir, La Sirène du
Mississippi,* mais
aussi *Fenêtre sur cour*
de Hitchcock sont
des adaptations de
ses romans noirs.

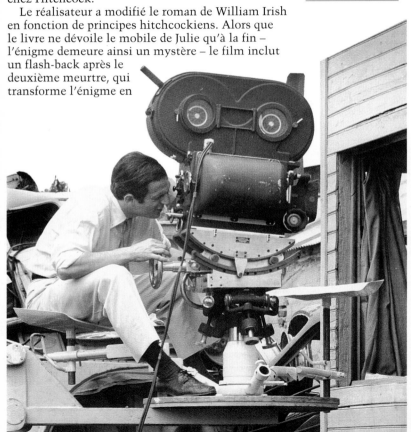

suspense. Pourquoi elle les tue a moins d'importance que comment elle le fait. Le roman d'Irish provoque moins l'identification du public avec Julie dans la mesure où il accorde davantage d'attention à l'inspecteur qui la suit. Truffaut présente au contraire les événements à travers le point de vue de l'héroïne. Par ailleurs, alors que le roman révélait que les hommes qu'elle avait tués étaient innocents, il maintient un équilibre complexe de sympathie en les rendant responsables du crime mais non coupables.

La Mariée ne montre jamais de meurtre violent – le dernier assassinat, au couteau, est signifié par un cri hors champ – et appelle peut-être une réaction plus intellectuelle que viscérale. Pour Truffaut comme pour Hitchcock, une scène de meurtre peut être filmée comme une scène d'amour : chacun des meurtres de Julie est, en fait, exécuté par amour.

«Je suis convaincu que le spectateur trouve son bonheur simplement à regarder Catherine et que cette contemplation rembourse le prix du ticket d'entrée» s'exclamait Truffaut à propos de Catherine Deneuve (ci-dessous) dans *La Sirène du Mississippi*. L'actrice avait déjà tourné plusieurs de ses plus grands rôles : *Les Parapluies de Cherbourg* et *Les Demoiselles de Rochefort* de Jacques Demy, *Répulsion* de Roman Polanski et *Belle de jour* de Luis Buñuel, une «série de succès suaves», disait Truffaut.

Le chant de «La Sirène»

A fortiori, l'amour peut plonger ses racines dans le crime. *La Sirène du Mississippi* illustre ce corollaire de la vision hitchcockienne.

Louis Mahé, planteur de l'île de la Réunion, attend au port l'arrivée de Julie Roussel, sa future épouse

recrutée par petites annonces. La femme qui débarque
(Catherine Deneuve) a peu de ressemblance avec la
photo de Julie mais Louis la trouve plus belle qu'il ne
s'y attendait et ils se marient. Malgré les aspects
troublants de la conduite de Julie, ils mènent une
existence relativement heureuse jusqu'au jour où elle
s'enfuit avec son argent. Julie est en fait un imposteur,
nommée Marion, que Louis poursuit jusqu'en France.
Lorsqu'il la retrouve et qu'elle lui raconte la triste
histoire de sa vie, il ne parvient pas à mener à bien son
plan de l'abattre. Reconnaissant qu'il ne peut
s'empêcher de l'aimer, Louis tue l'inspecteur (Michel
Bouquet) qui est sur la piste de la jeune femme et
s'enfuit avec elle dans une cabane. Là, il se rend
compte qu'elle est en train de l'empoisonner, mais il
est disposé à mourir de la main de la femme qu'il aime.
Prise de remords et sentant l'amour naître en elle,
Marion tente de le maintenir en vie. Dans le dernier
plan, ils s'éloignent ensemble à pied dans la neige.

Hitchcock a souvent dépeint l'attirance amoureuse
d'un homme et d'une femme qui n'ont aucune raison
de se faire confiance, mais ses personnages féminins –
telle Joan Fontaine dans *Rebecca* (1940) et *Soupçons*
(1941) – sont souvent des victimes en
puissance. Dans *La Sirène*,
Truffaut renverse les rôles :
la femme est la détentrice
du pouvoir et l'homme est
vulnérable à son charme
mystérieux. Louis et la
«sirène» se sont connus à
travers une correspondance
où ils ont menti. Et le
public tend à être
solidaire de Louis : pour
des spectateurs déjà
familiarisés avec *La
mariée était en noir*,
une mystérieuse
héroïne répondant
au nom de Julie
n'est guère digne
de confiance.

La dernière scène de
La Sirène (Deneuve
et Belmondo s'éloignant
dans la neige, à droite)
serait-elle un écho à
la fin de *La Grande
Illusion* de Jean
Renoir ?

«L'amour fait mal»

Dans la dernière séquence Louis comprend que
Marion essaye de l'empoisonner alors qu'il vient
d'apercevoir dans un journal une illustration de
Blanche Neige croquant la pomme empoisonnée
et lit *La Peau de chagrin* de Balzac : «Qui pourrait
déterminer le point où la volupté devient un mal et
celui où le mal est encore la volupté ?» *La Sirène* se
clôt sur le thème du lien entre amour et souffrance :
Louis affirme que c'est une joie et une douleur de la
regarder ; Marion avoue que «l'amour fait mal».

Les objectifs de Truffaut sont plus complexes que
ceux de Hitchcock. Le roman de Série Noire devient
un prétexte pour illustrer un thème énoncé dès le
générique : la colonne des petites annonces
d'un journal présente les messages imprimés
d'hommes et de femmes recherchant des partenaires ;
leurs voix se mêlent et se chevauchent sur la bande-
son jusqu'à devenir aussi incompréhensibles que celle
des hommes-livres à la fin de *Fahrenheit 451*. Est-il
si essentiel de trouver l'amour,
semble demander Truffaut,
que l'on préfère les
«blessures de l'amour» à
la solitude ? Un certain
Michel Poiccard, également
interprété par Jean-Paul
Belmondo, affirmait dans
A bout de souffle : «entre la
douleur et le néant,
je choisis la
douleur.»

La Sirène fut un
échec commercial.
Truffaut conclut :
«Peut-être que ce que
j'ai déjà cherché à faire
dans *La Mariée* et *Le
Pianiste*, ce mélange
d'un récit d'aventures
et d'une histoire
d'amour, a moins bien
fonctionné ici [...].
Comme ceux qui ne
l'aiment pas sont de
l'ordre de 95 %, je me
dis que quelque chose
ne va pas.» Mais :
«Je crois qu'il y a
quelque chose d'excitant
dans l'échec. Ça donne
envie de travailler vite,
de recommencer…»

Antoine Doinel, l'adolescent des *400 Coups* est le produit de la fusion de deux personnalités : François Truffaut et Jean-Pierre Léaud. Il illustre d'une façon toute particulière ce propos de Jean Renoir : «Le metteur en scène n'est pas un créateur, il est une sage-femme. Son métier est d'accoucher l'acteur d'un enfant dont celui-ci ne soupçonnait pas la présence dans son ventre.»

CHAPITRE III
LES ANNÉES LÉAUD

"Lors du premier essai, il dira devant la caméra : «Il paraît que vous cherchez un mec qui soit gouailleur, alors je suis venu.» Jean-Pierre, contrairement à Doinel, lisait très peu, il avait sans doute une vie intérieure, des pensées secrètes, mais il était déjà un enfant de l'audiovisuel, c'est-à-dire qu'il aurait plus volontiers volé des disques de Ray Charles que des livres de la Pléiade.**"**

François Truffaut

La relation entre Truffaut et Jean-Pierre Léaud est l'une des collaborations les plus fructueuses de l'histoire du cinéma. Le réalisateur découvrit, façonna et cultiva ce jeune acteur, dont il fit l'incarnation la plus durable de son cinéma.

Ce ne fut pas seulement dans les films du cycle Doinel que Léaud brilla pendant plus de vingt ans – *Les 400 Coups* (1959), *Antoine et Colette* (1962), *Baisers volés* (1968), *Domicile conjugal* (1970), *L'Amour en fuite* (1979) – mais aussi dans le rôle

de Claude dans *Les Deux Anglaises* (1971) et celui d'Alphonse dans *La Nuit américaine* (1973). Les quatre films qu'ils tournent ensemble entre 1968 et 1973 utilisent et élargissent le talent comique de Léaud ; *Les Deux Anglaises* révèlent une capacité de gravité qu'on ne lui connaissait pas.

«Baisers volés»

Dans son introduction aux *Aventures d'Antoine Doinel* (1970), qui regroupent les scénarios des quatre longs métrages du cycle, Truffaut écrit que son personnage devenait la «synthèse de deux personnes réelles : Jean-Pierre Léaud et moi» à mesure qu'il encourageait le jeune acteur à utiliser son propre vocabulaire plutôt qu'à coller au scénario. «Antoine Doinel s'est [...] éloigné de moi pour se rapprocher de Jean-Pierre» – surtout dans *Baisers volés* : Antoine,

«Pour la rencontre de mes deux jeunes héros au concert salle Pleyel [à gauche, Jean-Pierre Léaud et Marie-France Pisier dans *Antoine et Colette*], j'ai voulu faire une scène qui avancerait en même temps que la musique. De cette manière, on ne savait pas à partir de quel moment le public allait remarquer ce que l'on voulait lui faire remarquer, c'est-à-dire la présence de la jeune fille. Pour arriver à une certaine intensité, nous avions des cadres de plus en plus serrés. Cette scène est assez longue, pour moi l'intérêt c'est ça, le contrepoint de la musique en action. [...] C'est une scène qui aurait pu être très impure et qui fonctionne bien grâce à l'innocence de Jean-Pierre Léaud et à la jeunesse de son personnage.» *Antoine et Colette* est un court-métrage de 20 minutes qui fait partie du film à sketches intitulé *L'Amour à vingt ans*, dont les autres réalisateurs sont Renzo Rossellini, Marcel Ophuls, Andrzej Wajda et Shintaro Ishihara.

sur le point d'être réformé de l'armée pour «instabilité
caractérielle», aime Christine Darbon (Claude Jade).
Après avoir échoué dans plusieurs emplois, il devient
détective privé. Antoine succombe au charme d'une
femme mûre, Fabienne Tabard (Delphine
Seyrig), épouse du propriétaire de magasin
de chaussures paranoïaque (Michel
Lonsdale) qui l'a recruté. Il lui écrit une
déclaration d'amour éperdue ; elle répond
par une visite dans sa chambre de
bonne… et dans ses bras.

Antoine apparaît pour la première fois
caché derrière *Le Lys dans la vallée* de
Balzac, qui décrit la passion réprimée de
Félix de Vandenesse pour madame de
Mortsauf, plus âgée. Comme Jules, Jim,
ou Fergus dans *La Mariée*, Antoine
tombe amoureux d'une
femme correspondant
aux fantasmes
suscités en lui par
un idéal artistique.

Le tournage de
Baisers volés
se déroula au moment
de l'«affaire Langlois»,
de février à avril 1968.

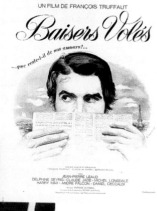

Même si Truffaut
(ci-contre, lors d'une
manifestation) se
méfiait ouvertement
de la politique, cette
année fut une
exception. Lorsque le
gouvernement français –
en la personne d'André
Malraux, ministre
de la Culture – tenta
de destituer Henri
Langlois, fondateur
et directeur de la
Cinémathèque
française, Truffaut
participa activement
aux manifestations –
jusqu'au retour de
Langlois. L'affaire
deviendra ainsi
un prologue aux
événements à
venir de mai 68.

La femme, l'autre

Pour qui se souvient des *400 Coups*, l'attirance d'Antoine pour une femme plus âgée comporte une puissante dimension psychologique : Fabienne est à la fois «une apparition», «une déesse», et un substitut maternel. L'offre généreuse qu'elle fait à Antoine de passer quelques heures dans son lit conduit à une initiation sexuelle en toute simplicité qui permettra à l'adolescent de se lancer dans des relations amoureuses avec des femmes de son âge. Antoine va pouvoir revenir à Christine, et l'épouser.

Au début de *Baisers volés*, Antoine offre une image poignante de la maladresse. Il ne sait pas comment se comporter dans un bordel, et sa séance avec une prostituée est décevante. Sa lutte pour découvrir sa propre identité – ainsi que l'altérité des femmes – est magnifiquement illustrée par son monologue frénétique devant un miroir de salle de bains : il répète son nom avec une intensité croissante, suivi de ceux de Fabienne Tabard et Christine Darbon, en un fiévreux sortilège incantatoire.

Comme nombre de personnages de Truffaut, Antoine retrouve le contrôle de la situation en écrivant. Il rédige à l'adresse de Fabienne un pneumatique passionné, présenté en un étonnant montage d'images : la lettre passe de ses mains à d'autres mains qui la tamponnent, la placent dans un tube métallique, puis dans un conduit menant à une

"Dans un film comme *Baisers volés*, les personnages prennent la priorité sur les situations, sur le décor, sur le thème, ils sont plus importants que la construction, plus importants que tout, d'où l'importance de bien choisir les acteurs. Or, je ressentais de plus en plus la nécessité d'engager dans mes films des acteurs intelligents, même (et surtout) si je leur donne à jouer des personnages dont ce n'est pas le trait principal.**"**

François Truffaut

À gauche, Delphine Seyrig dans le rôle de Fabienne qui vient de recevoir le pneumatique d'Antoine Doinel. Cette «scène du pneumatique» a eu deux échos filmiques. *Un dimanche pas comme les autres* (1971) de John Schlesinger commence par un plan sur des personnages qui n'arrivent pas à se joindre par téléphone ; quand Peter Finch essaie d'appeler son ami, la caméra suit l'intérieur du circuit téléphonique. *Rouge* (1994) de Krzysztof Kieslowski s'ouvre sur un personnage en train de téléphoner : la caméra filme l'intérieur des câbles avant que l'interlocuteur ne réponde – comme si le désir humain dépendait de la médiation technologique.

canalisation souterraine qui court le long des égouts de Paris. Les noms de rues défilent en une juxtaposition rapide de plans. Le «système nerveux» de Paris est ainsi mis à nu, participant de l'émotion d'Antoine.

Le fait que Truffaut ait inscrit le passage à l'âge adulte d'Antoine dans le contexte d'une agence de détectives privés a de multiples résonances. Avant de réaliser *Baisers volés*, il avait essayé d'acheter les droits de *La Rhubarbe* de René-Victor Pilhes, roman dont le protagoniste n'a jamais connu son père et demande à une agence de détectives d'en retrouver

L'une des scènes centrales de *Baisers volés* montre Antoine Doinel face à un miroir (ci-contre), scandant le nom des deux femmes dont il est amoureux, la jeune Christine (Claude Jade, ci-dessous) et madame Tabard, plus âgée (Delphine Seyrig). Truffaut explique ainsi cette scène : «Je voulais éviter à tout prix une scène avec un confident à qui Antoine expliquerait ses hésitations à propos des deux femmes dans sa vie. Son nom, il le répète sans cesse pour s'assurer de son identité, comme pour essayer de s'éclaircir les idées.»

l'identité. Les droits du livre se révélant trop élevés, Truffaut tourna *Baisers volés*, ne retenant de son projet initial que l'idée de l'agence de détectives à travers laquelle des personnages malheureux recherchent essentiellement l'amour perdu.

Quand Antoine se marie...

Dans *Domicile conjugal*, Antoine change de métier. Il est une manière d'artiste – il teint des fleurs – et, parce que son échoppe est située au milieu de la cour de l'immeuble, il se trouve

Truffaut souhaitait que son film *Domicile conjugal* – même si Antoine et Christine demeurent un couple français – participe de l'esprit des comédies américaines de Leo McCarey, George Cukor, et surtout Ernst Lubitsch, «qui réussit à introduire une dose de rire dans le quotidien».

toujours «sur scène», constituant le centre d'attention des gens de l'immeuble comme de l'extérieur. Mais son commerce s'étiole, et il entre dans une entreprise américaine où il manœuvre des modèles réduits de bateaux dans une piscine. Christine accouche d'un fils; Antoine a une liaison avec une Japonaise. Après une dispute avec Christine, il part de chez lui mais s'ennuie avec Kyoko et retourne au domicile conjugal.

Dans son incarnation d'un Antoine légèrement plus âgé, Léaud manifeste une plus grande variété d'émotions. La naissance d'Alphonse est l'occasion d'une scène émouvante où le héros, qui n'a jamais connu son père, est bouleversé d'en devenir un. Il se fait crânement photographier avec le bébé, sans s'inquiéter des sentiments de Christine; celle-ci, excédée, lui demande de partir. Antoine erre dans les rues, seul, sans personne à qui annoncer sa paternité.

Ce désir inassouvi de contact humain est exprimé, comme souvent dans les films de Truffaut, par la multiplication des parois de verre : on voit Antoine à travers la vitre d'une cafétéria où il mange en solitaire, puis debout derrière la porte vitrée d'un bar où il n'entre pas, et finalement dans une cabine téléphonique où il tente de joindre un ami (Jean Eustache) qui ne répond pas. Antoine ne parvient pas à briser son enfermement.

«Je suis moins tendre pour les adultes...»

Truffaut se rendit compte que *Domicile conjugal* marquait une distance accrue entre le metteur en scène et son personnage : «J'ai [...] jeté sur lui un regard critique comme sur le Pierre Lachenay de *La Peau douce*. C'est probablement parce que *Domicile conjugal* nous montre non plus un adolescent mais un adulte, et que je suis moins tendre pour les adultes que pour les adolescents, même si Pierre Lachenay ou Antoine Doinel se ressemblent comme des frères.»
Le réalisateur poursuit dans cette voie avec Claude Roc, le héros des *Deux Anglaises et le continent*, adapté du deuxième roman d'Henri-Pierre Roché. Présentant pour la première fois Jean-Pierre Léaud dans un film en costumes, il lui attribue le rôle d'un personnage sans consistance manipulé par les femmes.

❝Dans *Domicile conjugal*, j'ai l'impression d'avoir pas mal noirci Antoine Doinel, un peu comme le Pierre Lachenay de *La Peau douce*... Je vous disais que les révolutionnaires peuvent réfuter Antoine Doinel parce qu'il n'est pas contre la société. Justement, Antoine veut être bien avec tout le monde, il ne se heurte jamais ; quand cela ne va pas, il s'en va... L'autre jour, un ami m'a dit : «Doinel ne se dispute jamais [...].» Moi je vois la vie comme une tentative de se faire accepter. C'est un thème qui doit me toucher puisqu'on le retrouve dans *L'Enfant sauvage*. Voyez-vous, je me soucie aussi peu du mot «bourgeois» que des gens qui ont dit que l'enfant sauvage vivait bien mieux dans la forêt et qu'il est idiot de l'avoir ramené en ville. Cet argument, c'est le contraire des raisons pour lesquelles j'ai fait le film. Je ne défendrai pas la société dans laquelle nous vivons, mais j'aime la civilisation et je crois en elle. Ma vie, mes expériences, mes idées vont dans ce sens-là.❞
François Truffaut

"Jean-Pierre m'intéresse justement par son anachronisme et son romantisme, il est un jeune homme du XIXe siècle. Quant à moi, je suis un nostalgique, mon inspiration est constamment tournée vers le passé. Je n'ai pas d'antennes pour capter ce qui est moderne, je ne marche que par sensations ; c'est pourquoi mes films – et plus particulièrement *Baisers volés* – sont pleins de souvenirs et s'efforcent de ressusciter les souvenirs de jeunesse des spectateurs qui les regardent. Quand ils sont terminés, je m'aperçois que mes films sont toujours plus tristes que je ne l'aurais voulu.**"**

François Truffaut

Ci-contre et de haut en bas, Jean-Pierre Léaud-Antoine Doinel dans *Baisers volés* (avec Delphine Seyrig), *Domicile conjugal* et *L'Amour en fuite* (avec Dorothée). Page de gauche, Jean-Pierre Léaud et François Truffaut, à Cannes, lors de la sortie des *400 Coups*.

Léaud interprète un jeune Français qui rencontre deux sœurs, Anne (Kika Markham) et Muriel Brown (Stacey Tendeter), chez qui il part séjourner. Claude tombe amoureux de Muriel dont la mère s'oppose au mariage. Ils décident alors d'une séparation d'un an pendant laquelle ils tiendront chacun un journal destiné à l'autre.

Claude devient critique d'art, mène une vie mondaine à Paris et, après quelques mois, met fin à sa relation avec Muriel. Puis Claude et Anne tombent amoureux; la mère de Claude meurt; il revoit Muriel, et Anne insiste pour qu'il parte avec sa sœur. Quand Anne avoue à Muriel qu'elle et Claude ont été amants, cette dernière tombe violemment malade et s'en va. Claude écrit un roman, *Jérôme*

Ci-dessus, le visage de Stacey Tendeter (Muriel), et, ci-dessous, Truffaut et Jean-Pierre Léaud lors du tournage des *Deux Anglaises*.

et Julien, qui est publié plus tard, après la mort d'Anne. Claude et Muriel consomment finalement leur amour mais elle le quitte le lendemain.

Face à l'incertitude de l'amour

Claude est soumis à l'action plutôt qu'«acteur». Surpris par une averse au cours d'une promenade, les sœurs Brown, leur mère et Claude se réfugient dans une grotte. Pour avoir chaud, Mrs. Brown s'assied entre ses filles qui la bercent, puis invite Claude à prendre sa place, et il se laisse ballotter entre les deux sœurs. Son commentaire en voix *off* révèle qu'il était «ému comme par un jeu qu'il ne comprenait pas».

Face à l'incertitude de l'amour, à la solitude et la perspective de la mort, Claude et les sœurs Brown tentent de recréer un ordre à travers la représentation

artistique. Pour Claude, l'écriture offre les conditions de cette réinvention de soi : «Cette nuit, j'ai revécu en détail notre histoire. J'en ferai un jour un livre.» Quand finalement il passe à l'acte, il peut dire : «J'ai l'impression que ce sont les personnages du livre qui ont souffert à ma place.» Déclarant dans une lettre sa flamme à Muriel, il semble tomber amoureux à mesure qu'il écrit. Tous deux s'expriment dans leurs journaux intimes et dans les lettres dont Anne est la messagère.

Claude extériorise peu ses émotions. Il se révèle à travers ses lettres à sa mère ; c'est lorsque celle-ci lit tout haut la lettre d'adieu adressée à Muriel que l'on apprend sa rupture avec la jeune fille. Après que Muriel lui ait envoyé son journal intime (où elle bouscule l'idée qu'il a de sa pureté en avouant qu'elle pratique une masturbation compulsive depuis l'enfance), Claude – nous dit la voix *off* – «pensa surtout au parti littéraire qu'on pouvait en tirer».

En 1981, Truffaut avouait : «En 1971, je vécus ma première dépression nerveuse, un *break down* qui me conduisit dans une clinique, pour une cure de sommeil. Je n'avais amené qu'un seul livre, *Les Deux Anglaises*, dont je lisais des pages chaque fois que je me réveillais ! Je commençais à l'annoter dans les marges, comme lorsque j'entreprends une adaptation et, à un certain moment, ma décision fut prise : j'allais quitter cette clinique de malheur, m'enfermer avec mon ami Jean Gruault et me mettre au travail.»

«Pierre à pierre»

Par l'écriture de son roman, *Jérôme et Julien*, Claude transcende ou compense sa situation. «A travers les émotions d'une femme qui aima toute sa vie deux hommes en même temps, il était aisé de reconnaître, à peine transposée, l'histoire de son amour pour les deux sœurs», commente la voix *off*. Anne, quant à elle, est sculpteur. Truffaut fait courir la métaphore de la statue à travers l'ensemble des *Deux Anglaises* – d'abord avec la mère de Claude, qui l'a élevé toute seule, comme un «monument, pierre à pierre».

Si Claude (Roc, de son nom de famille) se trouve être le matériau brut aux mains de la première femme forte de sa vie, il n'aura pas plus l'initiative une fois devenu un jeune homme.

Quand Claude joue aux «statues» avec les deux sœurs, il les fait tournoyer et elles doivent se «pétrifier» dans la position où il les a laissées. Quand c'est à son tour de virevolter, il n'arrive pas à s'immobiliser. Dans l'épilogue, Claude, Anne et Muriel sont devenus personnages de roman, aussi permanents que les amants du *Baiser* de Rodin qui apparaissent, immobiles et immortels, à la fin du film.

Muriel disait que ce n'était pas l'amour mais

B althus était l'un des peintres préférés de Truffaut ; ses tableaux troublants suggèrent les mystères du corps de jeunes femmes, telle *La Toilette de Cathy* (1933, à gauche), illustration du roman d'Emily Brontë, *Les Hauts de Hurlevent*. Interrogé sur la fin des *Deux Anglaises* – la mort d'Anne – Truffaut répondit que ce dénouement lui avait été inspiré par la mort

l'incertitude de l'amour qui bouleversait la vie ; la certitude du texte permet à Claude de ramener à lui Muriel, la femme qu'il a perdue et Anne, la morte.

Muriel avait déclaré : «Je suis ta femme. J'étais ta sœur, ton amie, tout»; dans *Domicile conjugal*, à Antoine qui lui déclare : «Tu es ma petite sœur, tu es ma fille, tu es ma mère», Christine répond : «J'aurais bien voulu aussi être ta femme.» Le même sentiment se retrouve dans *La Nuit américaine*, chez la petite amie d'Alphonse – interprété par Jean-Pierre Léaud, réincarnation d'Antoine – qui «ne sera jamais un homme, [qui] a besoin d'une femme, d'une maîtresse, d'une nourrice, d'une infirmière, d'une petite sœur.»

d'Emily Brontë dont il avait relu l'œuvre avant de tourner ce film. Truffaut et Balthus sont tous deux des autodidactes, et tous deux ils ont réussi à résister aux courants artistiques de leur époque – Balthus en se tenant à distance du cubisme et du surréalisme et, comme Truffaut, en s'opposant à la tendance croissante du XXe siècle vers l'abstraction.

En 1959, Truffaut décrivait l'origine de sa passion pour la littérature : «Je ne suis pas cultivé. Je ne suis même pas un "autodidacte". En effet, je n'ai rien appris par moi-même hors de ce que m'a apporté le cinéma. Pourtant, quand j'avais treize ou quatorze ans, j'ai acheté, à 50 centimes pièce, 450 petits volumes très mal imprimés sur du papier grisâtre, "Les classiques Fayard". Et je me suis mis à les lire, alphabétiquement, par nom d'auteur, en commençant par A (Aristophane) pour finir par V (Voltaire).»

De gauche à droite et de haut en bas : *Les 400 Coups, Jules et Jim, Les Deux Anglaises* et *L'homme qui aimait les femmes.*

Le film dans le film : «La Nuit américaine»

La Nuit américaine est une célébration lyrique
de la création d'un film, intitulé «Je vous présente
Pamela». Truffaut se concentre sur les divergences
entre le cadre dramatique extérieur de *La Nuit
américaine* et celui, intérieur, de «Pamela», entre
les acteurs eux-mêmes et le rôle qu'ils doivent
interpréter.

Truffaut incarne le metteur en scène Ferrand,
aussi sérieux qu'Alphonse est comique, aussi mûr

T ruffaut dirige
Jacqueline Bisset
(ci-contre), et Jean-
Pierre Léaud giflant
Jean-Pierre Aumont (ci-
dessous) dans *La Nuit
américaine*. Ci-dessus,
le décor dans les
studios de la Victorine
à Nice.

que celui-ci est enfantin, aussi attentif aux besoins
de chacun qu'Alphonse est centré sur les siens.
Pour Ferrand, «les films sont plus harmonieux que
la vie [...] Il n'y a pas d'embouteillages dans les films,
pas de temps morts. Les films avancent [...] comme
des trains dans la nuit.»

Dès l'ouverture de *La Nuit américaine*, Truffaut
dédie le film de sa voix même aux grandes actrices
du cinéma muet, Lillian et Dorothy Gish. Plus loin,
il rend hommage à cette autre immense actrice,
Jeanne Moreau, au travers d'un jeu radiophonique.
Au-delà de ces références explicites, les techniques
de Truffaut attestent sa sympathie fondamentale
et son respect pour les acteurs.

Au centre de *La Nuit américaine* se trouve le
personnage de Julie Baker (Jacqueline Bisset), sur
qui Alphonse fait une fixation quelques heures après
que sa petite amie eut quitté le plateau de «Pamela».

Déesse pour son entourage, femme vulnérable et désorientée à ses propres yeux, Julie rappelle les héroïnes tendres aussi bien que les héroïnes déséquilibrées des films précédents.

Cette actrice anglaise (dont le mari a le double de son âge) jouera Pamela qui, dans le cercle dramatique intérieur, épouse Alphonse mais tombe amoureuse de son père, Alexandre, et part avec lui. Dans le cadre extérieur, elle essaye d'empêcher Alphonse de quitter

Ferrand, le metteur en scène de *La Nuit américaine* compare les films aux trains ; un an plus tard, Truffaut décrit le cinéma : «Les choses s'accrochent [...] comme des wagons, l'histoire avance sur ses rails, le public-voyageur ne quitte pas le train, il se laisse

véhiculer du point de départ au terminus et il traverse des paysages qui sont des émotions.»

le film avant son achèvement : Julie passe la nuit dans le lit d'Alphonse, rappelant, par sa sensualité mûre, maternelle et magique, le personnage de Fabienne Tabard, dans *Baisers volés*. Alphonse en tire une conclusion hâtive et assez immature ; il téléphone au mari de Julie : «J'aime votre femme, j'ai fait l'amour avec elle. Rendez-lui la liberté !»

L'origine de *La Nuit américaine* remonte à une observation de Hitchcock lors de son interview avec Truffaut : «Toute l'action se déroulerait dans un studio, non pas

Miroir, miroir

Truffaut était conscient d'avoir peut-être causé des difficultés à Léaud, que le public identifiait si totalement à ses incarnations à l'écran, Antoine et Alphonse. L'adéquation de l'acteur à son type était trop parfaite. (Le rôle récurrent de Léaud comme éternel adolescent aux engouements obsessionnels le fit d'ailleurs choisir par Bernardo Bertolucci pour *Le Dernier tango à Paris*, sorti en 1972, où il interprète le fiancé de Maria Schneider.) *La Nuit américaine* se révéla être un film si convaincant et personnel que le public le perçut de manière quasi documentaire.

Ferrand porte un appareil auditif. En dehors du fait qu'il suggère un souci porté à la communication, le port du Sonotone est ainsi expliqué dans le scénario : «[Ferrand] a fait son service militaire dans l'artillerie et, au cours des grandes manœuvres, il a perdu l'usage d'une oreille, l'autre étant déjà diminuée depuis la petite enfance.» Dans un article paru dans *La Voix du sourd* après que Truffaut eut fait jouer une séduisante sourde-muette dans *L'homme qui aimait les femmes*,

sur le plateau devant la caméra, mais hors du plateau entre les prises de vue ; les vedettes du film seraient des personnages secondaires et les personnages principaux seraient certains figurants. On pourrait faire un contrepoint merveilleux entre l'histoire banale du film que l'on tourne et le drame qui se déroule à côté du travail.» Ci-dessus, Jacqueline Bisset et Truffaut dans *La Nuit américaine*.

il révéla que son audition, déjà déficiente depuis l'enfance, avait été altérée par son passage dans l'artillerie. Il était peu probable que le public fût au courant de ce détail, mais celui-ci souligne la place accordée par Truffaut dans son art aux éléments autobiographiques.

Les séquences oniriques de *La Nuit américaine* offrent un autre écho de la vie du metteur en scène. Ferrand s'agite dans son sommeil, poursuivi par l'image d'un petit garçon descendant une rue déserte et obscure, appuyé sur une canne. Il arrive dans un cinéma, où il vole des photographies publicitaires ; ce sont des clichés de *Citizen Kane*, que Truffaut vit trente fois et dont il disait que c'était le film qui avait poussé le plus grand nombre de gens à devenir cinéastes. Parmi les nombreuses références œdipiennes contenues dans *La Nuit américaine*, laisse-t-il entendre que tous les réalisateurs volent leur père Orson Welles ?

Si les personnages joués par Léaud représentent le côté enfantin du metteur en scène, ceux qu'il interprète lui-même projettent une figure paternelle, Ferrand et Itard dans *L'Enfant sauvage*.

❝J'ai réalisé *La Nuit américaine* comme un documentaire, et il y a très peu de décalage entre le tournage que je montre et celui de mes films. Je me suis imposé des limites très précises, j'ai respecté l'unité de lieu, de temps et d'action. [...] Je n'ai pas cherché à détruire la mythologie du cinéma. Le cinéma français étant trop peu mythologique, j'ai voulu que ce film porte l'empreinte d'Hollywood.❞

François Truffaut (ci-dessous, recevant l'Oscar du meilleur film étranger en 1974)

COLUMBIA FILMS présente

UN FILM DE

FRANÇOIS TRUFFAUT

AVEC

BERNADETTE LAFONT

UNE BELLE FILLE COMME MOI

D'APRÈS LE ROMAN DE
HENRY FARRELL

ADAPTATION ET DIALOGUE DE
JEAN-LOUP DABADIE & **FRANÇOIS TRUFFAUT**

AVEC
CLAUDE BRASSEUR   CHARLES DENNER   GUY MARCHAND

PHILIPPE LÉOTARD   GILBERTE GÉNIAT   GASTON OUVRARD   ANDRÉ DUSSOLLIER et ANNE KREIS

DIRECTEUR DE LA PHOTOGRAPHIE   MUSIQUE
PIERRE WILLIAM GLENN   GEORGES DELERUE

co-production LES FILMS DU CARROSSE - COLUMBIA FILMS S.A.

Au début des années soixante-dix, Truffaut ne tournait pas uniquement des films autour de Jean-Pierre Léaud. Intercalés entre *Domicile conjugal*, *Les Deux Anglaises* et *La Nuit américaine*, il réalisa aussi *L'Enfant sauvage* (1970) et *Une Belle Fille comme moi* (1972) qui, malgré leur ton radicalement différent, ont en commun l'intérêt porté à des «gosses» rebelles et la tentative de saisir ce qu'ils sont sous forme écrite.

CHAPITRE IV
LES ENFANTS SAUVAGES

«*Une Belle Fille comme moi*, c'était encore une réponse à *L'Enfant sauvage*; c'est la même chose et son contraire à la fois : c'est Bernadette la sauvage et, cette fois, on est contre l'éducateur qui est un type théorique et qui n'a pas compris la vie.**»**
François Truffaut

L'Enfant sauvage est inspiré de *Mémoire et rapport sur Victor de l'Aveyron* de Jean Itard (1806) tandis qu'*Une Belle Fille* trouve sa source dans le roman de Henry Farrell, *Such a Gorgeous Kid Like Me*. On trouve au cœur de ces deux films le personnage du scientifique tiraillé entre son obligation professionnelle d'enregistrer un «cas» dans le détail et l'intérêt personnel qu'il éprouve pour son sujet d'étude.

Emprisonnés en eux-mêmes

Si cet intérêt se révèle être d'ordre pédagogique dans *L'Enfant sauvage* alors qu'il est amoureux dans *Une Belle Fille comme moi*, les «chercheurs» du film historique et de la comédie contemporaine sont tous deux des projections du cinéaste Truffaut. Celui-ci avait été attiré par deux autres projets à l'époque de *L'Enfant sauvage* : *Miracle en Alabama* – l'histoire de la jeune Helen Keller, aveugle, sourde et muette, et de son professeur Anne Sullivan, dont Arthur Penn avait réalisé l'adaptation cinématographique en 1962 – et *Gaspard Hauser* de Jakob Wassermann, porté à l'écran en 1974 par Werner Herzog. *L'Enfant sauvage* peut être rapproché de chacune de ces histoires véridiques

d'individus emprisonnés en eux-mêmes, marginalisés par une société qui ne peut pas les accueillir.

Truffaut trouva son enfant sauvage à Montpellier : Jean-Pierre Cargol, un jeune gitan qui n'avait jamais joué la comédie. Après avoir cherché un acteur pour interpréter le médecin humaniste Itard, Truffaut s'attribua finalement le rôle. Ce savant bienveillant (qui n'a pour toute compagnie qu'une femme de chambre) tente d'apprivoiser un garçon abandonné qui a été découvert, muet, dans la forêt. L'enfant se montre hostile à toute éducation mais apprend progressivement à communiquer et à recevoir un peu de tendresse. Cependant, après lui avoir donné le nom de Victor, Itard traite plus souvent sa découverte comme un objet d'étude que d'affection.

Comme *Boudu sauvé des eaux* de Jean Renoir (1932), le film est tendu entre l'espace ouvert de la nature et l'intérieur

Page de gauche et ci-dessus François Truffaut-Itard et Jean-Pierre Cargol-l'enfant sauvage.

L'Enfant Sauvage.

L'action de ce film, inspirée d'événements réels, commence pendant l'été 1798 dans l'Aveyron.

civilisé et clos, entre des hommes de culture bien intentionnés (Itard et Lestingois) et le matériau humain brut (Victor et Boudu/Michel Simon) qu'ils ramènent chez eux. Si Boudu fuit la civilisation alors que Victor doit la rejoindre, à la fin de chaque film, Victor et Boudu hésitent entre l'humain et l'animal. Mais à la différence de la comédie enlevée de Renoir, le ton de *L'Enfant sauvage* se signale par son détachement scientifique ou, plus exactement, par sa tentative de maîtriser l'émotion au bénéfice de l'objectivité.

L'introduction par Truffaut d'une narration (de sa voix) ainsi que de plans d'Itard en train d'écrire rappelle au spectateur que cette histoire fut initialement consignée sous forme de livre. Ces procédés font aussi sentir qu'aux yeux d'Itard, Victor n'est pas seulement une personne mais un prétexte à l'activité de chroniqueur qui l'absorbe.

Dans l'œil du conteur

En dehors de la narration en voix *off*, une autre technique propre à *L'Enfant sauvage* annonce clairement que Truffaut fait œuvre de conteur : l'usage de la fermeture/ouverture à l'iris. L'ouverture exprime la révélation progressive, à partir de l'obscurité, de la présence au monde de Victor (reflétant le développement même de l'enfant). La fermeture exprime un rétrécissement graduel des possibilités.

Cet emploi de l'objectif de la caméra, très populaire au temps du muet, suscite une certaine nostalgie. D'ailleurs, en dehors de la narration d'Itard, *L'Enfant sauvage* est presque un film muet. Comme une fenêtre, l'iris définit un espace : il s'ouvre ou se ferme, libérant ou enfermant Victor.

La fin de *L'Enfant sauvage* – qui voit Victor revenir auprès d'Itard après s'être enfui – apparaît plus ambiguë qu'optimiste ; la caméra resserre le champ sur le visage sombre de Victor qui semble piégé dans le cadre, à la manière du dernier plan des *400 Coups*.

❝François pensait que si l'on n'apprend pas les choses au bon moment, on est bloqué pendant toute sa vie. Quand il a présenté *L'Enfant sauvage* en Suède à sa sortie, il y a des gens dans la salle qui lui ont demandé pourquoi on ne laissait pas les enfants sauvages dans leur forêt. Il a commencé à pleurer […], il est parti en larmes, complètement bouleversé. Lui qui était un autodidacte, qui n'avait pas eu l'accès aux livres, il était scandalisé par cette réaction. Il pensait que la culture luttait contre les idées de finitude et de solitude, il ne comprenait pas qu'on puisse ne pas s'occuper des enfants des hommes.**❞**

Bernard Revon, *Cinématographe*, n° 105

Ainsi, le film qui a commencé avec une ouverture à l'iris à partir de l'obscurité, s'achève sur une fermeture à l'iris vers l'obscurité, ce qui renforce sa tonalité pessimiste.

Par ailleurs, le choix du noir et blanc en 1969 ne témoigne guère d'un excès de sensibilité aux considérations commerciales ! *L'Enfant sauvage* marquait la première collaboration de Truffaut avec le grand chef opérateur Nestor Almendros, qui allait signer les prises de vue de neuf de ses films. L'emploi du noir et blanc procure une réelle satisfaction esthétique tout en investissant l'image d'une historicité – effet de réalité qu'utilisera Steven Spielberg dans *La Liste de Schindler* (1993), filmé en noir et blanc, plus de vingt ans après.

Acteur, père et professeur

Truffaut concentra les notes prises par Itard entre 1801 et 1806 en une période de neuf mois : la gestation d'Itard aboutit à une sorte de naissance – celle d'un enfant qui prend conscience de son besoin de père. Truffaut alla jusqu'à qualifier Itard de «père adoptif», peut-être parce qu'il est celui qui confère une identité au garçon. D'Antoine Doinel, que ses parents n'appelaient jamais par son nom dans *Les 400 Coups*, à Victor, qui est nommé par Itard, il y a une symétrie : comme un pendant à la mère d'Antoine qui réprime son hostilité pour ce fils non désiré, Itard semble réprimer son affection pour l'enfant sauvage.

Dans une interview de 1976, Truffaut éclaire la caractérisation du personnage d'Itard : «Un Juif pendant l'Occupation vivait dans la peur de la déportation – c'était pour lui le plus grand danger. Il devint soudainement très sévère avec ses enfants, cachant ses sentiments, pour que, s'il était emmené loin d'eux, ils soient moins tristes.» Conscient du transitoire, de la perte et de la séparation, Itard, comme tant d'autres personnages de Truffaut, contient son amour par vulnérabilité.

Dans l'œuvre de Truffaut il est difficile de distinguer l'enseignement de l'amour. Même dans son travail de critique, la qualité hyperbolique et fondamentalement didactique de ses articles provenait d'une passion si intense qu'elle ne pouvait donner cours qu'à l'enthousiasme ou à la fureur. *L'Enfant sauvage* donne à voir de manière explicite les principes qui sous-tendent non seulement l'éducation véritable, mais la plupart des films de Truffaut : une dévotion à ce qui est présenté/enseigné, et une réelle affection – toute réservée qu'elle soit – pour le public/élève.

••Le noir et blanc peut apporter à un film un caractère très étrange et stylisé. On obtient d'entrée une transposition de la réalité d'une grande élégance [...] *L'Enfant sauvage* est un hommage à la photo des films muets. Les opérateurs des grands cinéastes scandinaves (Dreyer, Schiller), américains (Griffith, Chaplin), ou français (Feuillade), avaient l'habitude d'éclairer avec une lumière indirecte, très belle. Ils construisaient des décors à l'air libre, sans plafond, et tamisaient la lumière avec des draps filtrant les rayons du soleil. Ces professionnels utilisaient la lumière naturelle.**••**

Nestor Almendros, *Un Homme à la caméra*

Une belle fille sauvage

Truffaut lui-même nous invite à comparer *L'Enfant sauvage* avec *Une Belle Fille comme moi* : «Pour moi, elle est [...] la réplique en femme de l'*Enfant sauvage*, où vous avez quelqu'un qui est sauvage et quelqu'un qui essaye de l'éduquer.» Camille Bliss (Bernadette Lafont) est une jeune femme vulgaire et volubile dont la personnalité apparaît à travers une série d'entretiens enregistrés par un sociologue, Stanislas Prévine (André Dussollier), dans la prison où elle est incarcérée pour meurtre.

Camille constitue le sujet de la thèse que prépare Prévine, «Femmes criminelles», mais à mesure qu'elle décrit et que l'on voit en flash-back les expériences de sa vie – et son innocence, car elle

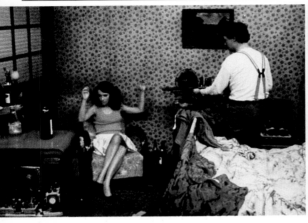

n'est pas l'auteur du meurtre – Stanislas s'éprend d'elle. Le sociologue amoureux retrouve Michou, l'enfant qui a filmé le «crime» de Camille; la pellicule révèle que la «victime» s'est en fait donné la mort elle-même. Camille est libérée. Sa nouvelle célébrité lui permet de se lancer dans une carrière de chanteuse. Stanislas lui rend visite après un spectacle. Le mari de Camille les découvre, et elle lui tire dessus. Puis elle met le revolver dans la main de Stanislas.

Tout comme Itard, Stanislas est attiré par un être «asocial» qui entre dans le cadre de ses travaux de recherche. De même que Victor, Camille entre dans la vie du scientifique comme donnée d'une expérience. Détail symbolique de cette relation, Stanislas apporte des cacahuètes à cette femme en cage. Cependant, au cours du film, il est emporté par la puissante réalité humaine de la jeune femme, tandis qu'elle se transforme à ses yeux de moyen en but.

Une narration sophistiquée

La structure d'*Une Belle Fille* commence par un cadrage narratif complexe qui, comme celui de *L'Enfant sauvage*, sensibilise le spectateur non seulement à l'histoire mais à la manière dont elle

Le caractère généreux et poli de Truffaut coexistait avec une sorte d'angoisse; il semblait n'être heureux qu'en travaillant. Jean Gruault, son complice scénariste, précise qu'il y avait chez lui «une timidité ombrageuse qu'il n'avait pas encore réussi à dominer, un manque d'assurance, une difficulté dans les rapports avec autrui qu'il essayait de surmonter en la cachant sous des attitudes et des prises de position brutales qui lui permettaient d'esquiver les face-à-face, les explications». Page de droite, il dirige Bernadette Lafont, la belle admirée par les «mistons», dans *Une Belle Fille comme moi*.

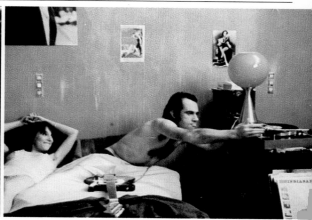

est racontée. Le manuscrit de Stanislas constitue le premier cadre : le film s'ouvre sur une femme demandant *Femmes criminelles* dans une librairie et à qui on répond que le livre n'a jamais paru. Un flash-back nous reporte un an plus tôt ; Stanislas arrive à la prison pour commencer son entretien avec Camille. A l'intérieur de ce nouveau plan temporel, le magnétophone du chercheur devient le cadre qui contient et présente le récit de Camille ; la caméra de Truffaut revient à plusieurs reprises sur cet appareil, de sorte que la «boîte parlante» ponctue le déroulement du film, comme le faisait le journal d'Itard dans *L'Enfant sauvage*. Les gros plans des bobines en train de saisir ou de

Ci-dessus, de gauche à droite, Bernadette Lafont avec Philippe Léotard, Charles Denner et Guy Marchand.

restituer la voix de Camille relient *Une Belle Fille*
au souci constant qui habitait Truffaut de tenter
de consigner l'expérience.

Tandis que Stanislas apprend à connaître Camille,
s'affirme la tension croissante entre ce qui est
enregistré (Camille la victime et le matériau
sociologique) et ce qui est passé sous silence (Camille
l'agresseur et la manipulatrice). Sans la médiation
de sa machine, le sociologue perd le contrôle de la
situation ; en ne gardant pas ses distances avec son
sujet, il en devient l'objet.

Alors qu'il croit pouvoir dompter cette fille,
Stanislas se retrouve enfermé dans sa cage – au sens
propre lorsqu'il est finalement arrêté pour le crime
qu'elle a commis.
L'encadrement narratif
multiple conçu par
Truffaut empêche le
public de tomber dans
le même piège : il le
distancie en lui
montrant les ficelles du
récit. Quand Truffaut
interrompt une des
colères de Camille
par un gros plan du
magnétophone puis
par un plan de la
transcription, n'attire-t-il
pas l'attention sur la forme narrative même ?

> **Les acteurs aiment
> beaucoup jouer
> dans des cabines
> téléphoniques, derrière
> des rideaux de pluie, ils
> aiment qu'un obstacle
> s'interpose entre eux
> et la caméra. Ils
> s'abandonnent mieux
> car ils se sentent plus
> protégés.**
> François Truffaut

Ci-dessous, une belle
fille derrière les
grilles du parloir.

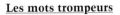

Les mots trompeurs

La chute de Stanislas trouve son origine dans sa
conviction erronée qu'il y a une corrélation entre
le langage et les faits, ou que les paroles de Camille
sont vérité vraie. Il est naïf au point de croire que
son propre compte rendu va le sortir de prison,
simplement parce qu'il dit la vérité. Quand *L'Enfant
sauvage* traitait de la noblesse du langage, *Une Belle
Fille* traite de son avilissement. C'est grâce à son
aisance verbale, à travers des mensonges à la fois
prémédités et spontanés, que Camille prend ses
hommes au piège. Avec elle, la parole se révèle autant

une prison qu'une dangereuse clé pour la liberté. Dans *Les Mistons*, Bernadette Lafont interprétait un personnage privé de parole ; dans *Une Belle Fille*, elle manie le langage comme une lame.

Même si Stanislas est un frère cinématographique d'Itard, il serait réducteur d'avancer que Truffaut s'identifie essentiellement avec le sociologue. Camille, qui a commencé sa carrière criminelle en tuant indirectement son père, ne fut-elle pas enfermée dans le même Centre d'observation pour mineurs délinquants que Truffaut ?

Dans une interview qu'il donna en 1975, Truffaut reconnut : « Je suis les deux personnages : Camille Bliss et Stanislas. Je me moque de quelqu'un qui s'obstine à voir la vie de façon romantique ; je donne raison à la fille qui est une espèce de voyou, qui a appris à se méfier de tout le monde et à lutter pour survivre. Je les oppose l'un à l'autre, mais je les aime tous les deux. »

Avant de confier le rôle du sociologue Stanislas à André Dussollier (ci-dessous), Truffaut envisageait de le jouer lui-même ; il confia plus tard au scénariste Jean-Loup Dabadie : « Je ne suis pas encore décidé absolument [...] ; le scénario comporte des scènes difficiles à jouer pour le non-acteur que je suis. [...] Il est vrai que jouer l'austère docteur Itard m'a rendu très heureux et donné en même temps l'impression de dominer complètement le tournage ; je retrouve ici la possibilité de mener le jeu à travers ce rôle d'enquêteur. »

Outre la littérature, la musique a joué un rôle considérable dans l'œuvre de Truffaut, mais si bien intégrée à l'ensemble qu'elle a rarement fait l'objet d'une étude séparée. Maurice Jaubert, mort en 1940, fut son compositeur «posthume» pour quatre films entre 1975 et 1978 : *L'Histoire d'Adèle H.*, *L'Argent de poche*, *L'homme qui aimait les femmes* et *La Chambre verte*.

CHAPITRE V
LES ANNÉES JAUBERT

«Je me suis rendu compte que sa musique pleine de clarté et de soleil est la meilleure pour escorter la mémoire de tous ces morts», dira Julien Davenne, interprété par François Truffaut, à propos de Maurice Jaubert (à droite), dans *La Chambre verte* (à gauche).

Si Truffaut s'est affirmé comme le cinéaste le plus «littéraire» de la Nouvelle Vague, s'il a montré un penchant pour le commentaire en voix *off*, c'est parce que ses personnages et sa mise en scène sont très expressément concernés par le langage. Les protagonistes de Truffaut se transforment sans cesse en livres, littéralement dans *Fahrenheit*, ou plus subtilement dans *Les Deux Anglaises* et *L'homme qui aimait les femmes*, dont les héros écrivent des romans autobiographiques, ou encore de façon implicite dans *L'Enfant sauvage* et *Une Belle Fille*.

La critique a souligné le style visuel allusif du réalisateur, ses premiers films étant remplis de «citations» de ses films préférés. Toujours pénétré de la fibre critique et historienne du temps où il écrivait aux *Cahiers du cinéma*, Truffaut aimait à témoigner dans ses films d'une conscience de la continuité cinématographique. *Les 400 Coups*, par exemple, citent l'œuvre de Jean Vigo : les garçons courant avec leur professeur de gymnastique renvoient à *Zéro de conduite*; Antoine sur la plage est un souvenir de *L'Atalante*. Le travail ultérieur de Truffaut étendit ce goût pour l'allusion de l'image à la bande-son en ressuscitant la musique des films de Vigo.

La musique de la mémoire

La musique de *L'Histoire d'Adèle H.* (1975) a été composée bien longtemps avant le premier tour de manivelle, dans les années trente, par l'un des plus grands compositeurs de musique de film français, Maurice Jaubert, connu des cinéphiles pour son «illustration» des films de Vigo et Carné. C'est sans doute ainsi que Truffaut

Truffaut tourna deux versions de *L'Histoire d'Adèle H.* : après chaque prise en français, il en enregistrait une en anglais puisqu'Isabelle Adjani et Bruce Robinson, qui joue le rôle du lieutenant Pinson, sont bilingues. Robinson est aujourd'hui plus connu comme scénariste et metteur en scène; il a réalisé *Withnail and I* (1988) et *Jennifer 8* (1991).

l'avait découvert, lui qui avait l'habitude de mémoriser la musique de ses films préférés.
Si ses films sur les enfants – tout particulièrement *Les Mistons*, *Les 400 Coups* et *L'Argent de poche* – sont une manière d'hommage à Jean Vigo, *Adèle H.* inaugure une série d'œuvres en l'honneur du compositeur de Vigo. Tous ses films de la période 1975-1978 – *L'Argent de poche* (1976), *L'homme qui aimait les femmes* (1977) et *La Chambre verte* (1978) – poursuivent ce processus d'adaptation de la musique de Jaubert à de nouveaux contextes.
Truffaut dirigea ainsi Isabelle Adjani (dans le rôle d'Adèle Hugo) et l'ensemble du film à partir non seulement d'un canevas littéraire issu du journal de la fille de Victor Hugo, mais aussi d'un schéma musical qui puise dans la bande-son de *L'Atalante* et d'autres films à l'atmosphère «jaubertienne».
La musique de film se doit d'être fonctionnelle au lieu d'exister pour elle-même. Toutefois, les musiques de Jaubert, comme celles de Bernard Herrmann, Georges Delerue, Max Steiner, Zbigniew Preisner et bien d'autres, ont transcendé leur fonction, indépendamment des images qu'elles accompagnent.

Le succès de *L'Histoire d'Adèle H.* aux Etats-Unis fut immense et le film reçut de nombreux prix. Dans les années 1970 et 1980, le New York Film Festival avait présenté presque tous les films de Truffaut en première américaine, et la critique new-yorkaise accueillait d'un regard favorable ce réalisateur qui accompagnait toujours ses films. Le directeur du New York Film Festival fut Richard Roud –, jusqu'à sa mort, peu après celle de Truffaut ; la *Correspondance* du réalisateur contient plusieurs lettres qui lui furent adressées, dans lesquelles Truffaut précise les détails de ses visites annuelles à New York.

Composer puis tourner

En 1936, Jaubert composa et dirigea *Jeanne d'Arc*, une symphonie pour soprano et orchestre inspirée d'un texte de Charles Péguy. Peut-être cette idée de construire l'orchestration autour d'une seule voix féminine invitait-elle à l'usage que Truffaut ferait de sa musique dans *Adèle H.* Dans le drame de Péguy, Jeanne cède à la solitude : il n'y a ni drame extérieur, ni voix célestes, ni procès, ni supplice. L'action est entièrement intérieure et la voix du personnage en est la seule expression, comme dans le film de Truffaut.

La même année, Jaubert créait la bande sonore qui portait en germe celle d'*Adèle H.* : sa partition eut la même relation de préexistence à *La Vie d'un fleuve*, réalisé par Jean Lods, qu'au sombre chef-d'œuvre de Truffaut. Dans une interview de 1936, Jaubert explique qu'il put, pour ce documentaire sur la Seine, composer une œuvre symphonique qui servirait de fondation aux images et au découpage. Des extraits de cette même musique furent pré-enregistrés pour *Adèle H.*, de sorte que la création de Jaubert constitue un véritable pré-texte aux images.

La voix du saxophone

On comprend pourquoi Truffaut a pu être attiré par cette musique pour *Adèle H.* En dehors de la violence émotionnelle de la dernière partie, le saxophone assourdi fait entendre la voix d'un instrument

Né en 1900 à Nice, d'abord avocat, Jaubert commença à écrire sur la musique avant de composer, tout comme Truffaut fut critique avant d'être metteur en scène. Il se lia d'amitié avec Ravel et Honegger et se tourna vers la composition dans les années 1920. Son entrée dans le cinéma date de 1926, lorsque Jean Renoir lui demanda une sélection musicale pour accompagner les projections de *Nana*. Entre 1929 et 1939, Jaubert écrivit trente-huit partitions dont celles de *Zéro de conduite* (1933) et de *L'Atalante* (1934) de Vigo, de *Drôle de drame*, *Quai des brumes*, *Hôtel du Nord* et *Le jour se lève* de Carné. Ci-dessus, la partition de l'une de ses compositions, *Suite française*, écrite en 1932-1933, utilisée dans *Adèle H.* (à droite : Truffaut, en haut, face à Isabelle Adjani, en bas).

supplémentaire – créant une sorte de dédoublement – alors qu'*Adèle H.* est l'histoire d'un amour à sens unique. Le saxophone devient la voix d'Adèle, l'expression de sa solitude et de son dédoublement.

Adèle était la fille cadette de Victor Hugo, dont l'aînée, Léopoldine, se noya à l'âge de dix-neuf ans. Courtisée par l'officier britannique Pinson, elle le suit à Halifax en 1863. Bien qu'elle se soit offerte à lui avec une absolue dévotion, le lieutenant la rejette. Cet amour non partagé devient obsessionnel chez Adèle, qui se ment à elle-même. Ses souvenirs, qu'elle consigne d'une plume fiévreuse et imaginative, suggèrent que sa passion est l'expression d'une quête romantique intérieure. Lorsqu'elle en

Selon Adjani, ce qui intéressait Truffaut «presque exclusivement, c'était la peinture d'un caractère totalement solitaire. Avec, aussi, un certain nombre de thèmes obsédants dans son œuvre : écrire de la fiction à partir de la réalité, lutte contradictoire entre la recherche d'une identité, d'un père, et celle de l'anonymat [...]. Pour lui, Adèle Hugo est une orpheline, une fille rejetée par les autres mais pas par elle-même [...]. Tout en partant du journal d'Adèle, François a adapté, ou écrit lui-même certains textes comme celui de la lettre où elle se proclame "née de père inconnu".»

vient à suivre Pinson sur l'île de la Barbade, elle n'est plus qu'une effrayante créature au visage hagard encadré de cheveux fous. Elle est recueillie par une femme indigène qui la ramène en France. L'épilogue conclut qu'Adèle passa les quarante années restantes de sa vie dans un asile d'aliénés.

Le caractère autonome de cette sombre passion apparaît à l'évidence dans une scène où Adèle va voir un hypnotiseur. Alors que son but était d'hypnotiser Pinson, elle se met elle-même dans une sorte de transe, en écrivant et répétant tout haut : «Je suis née de père inconnu.» Elle se persuade, à travers son incantation, qu'elle n'est pas l'enfant non désirée d'un des écrivains les plus célèbres au monde, ouvrant ainsi la voie à l'illusion qu'elle est sa propre génitrice.

L'eau, l'île et la péniche

Dans un sens, Adèle se noie dans les mots. La musique qui ponctue son exode – conçue à l'origine pour *La Vie d'un fleuve* – prend chez Truffaut un relief tout particulier, tant l'image de l'eau est centrale à *Adèle H*. Le film s'ouvre sur l'arrivée d'Adèle à Halifax en bateau et se clôt sur un plan où elle est à nouveau debout devant les vagues. Elle est aussi associée à l'eau à travers ses cauchemars répétés figurant la noyade de Léopoldine, ainsi que par sa déclaration solennelle sur fond de vagues : «Cette chose incroyable de faire qu'une jeune fille marche sur la mer... passe de l'ancien monde au nouveau monde pour rejoindre son amant – cette chose-là, je la ferai».

Dans la séquence finale à La Barbade où Adèle sombre dans la folie, Truffaut distancie le public de cette silhouette noire par un plan général. Le spectateur accède alors à la conscience d'Adèle par une autre musique que Jaubert avait composée pour un documentaire, *L'Ile de Pâques* (1935), où l'île est évoquée au travers d'une turbulence rythmique, comme si les vagues étaient sur le point de la submerger. L'emploi de cette musique violente correspond au naufrage d'Adèle dans la folie, alors que sur la pellicule, où dominent les bruns et les teintes assourdies, explosent les couleurs du soleil. La musique qui introduit l'isolement d'Adèle et en

"Isabelle est extraordinaire et [...] j'ai l'impression chaque soir que le film monte au lieu de s'enregistrer simplement, comme hélas si souvent [...]. Comme Jean-Pierre Léaud, elle n'aime pas répéter et n'accepte de donner que quand ça tourne, mais alors elle donne tellement qu'on ne peut qu'être ému, admiratif et reconnaissant. En réalité, elle échappe aux catégories existantes, je ne peux la comparer à personne et, à cause de cela, elle me maintient dans une grande tension, car elle demande beaucoup d'explications qui m'obligent à m'interroger moi-même sur la fonction d'acteur.**"**

François Truffaut

suit le développement est celle de *L'Atalante*.
Le morceau original de Jaubert ne dure pas plus de
quinze minutes, divisé en dix fragments, mais c'est
l'un des plus inoubliables de l'histoire du cinéma.
Plutôt qu'un ornement, la musique de *L'Atalante*
est un procédé de narration ; elle évoque le mariage,
l'amour, puis la séparation et le désir inassouvi, et
elle est utilisée par Truffaut essentiellement dans son
troisième sens : la souffrance de l'amour lorsque son
objet n'est plus là. La conjonction de la musique et de
l'eau est recréée dans *Adèle H.*, mais d'une manière
bien moins optimiste que chez Vigo.

Contrepoints

«L'idée était de faire un film sur l'amour n'impliquant
qu'une seule personne», déclarait Truffaut, soulignant
l'isolement absolu – le refus d'empathie – qu'Adèle
poursuit de toutes ses forces. «La deuxième idée,
ajoutait-il, était de faire un film avec le maximum de
violence intérieure. De violence émotionnelle.» Ces
deux intentions se trouvent réalisées par la musique
de Jaubert, qui dans *L'Atalante* exprime le lien entre
les amants séparés, dont la souffrance physique
culmine la nuit lorsqu'ils doivent dormir chacun
de leur côté. Chez Truffaut, le
saxophone solitaire, redoublant
la voix d'Adèle et les thèmes
entrelacés de *L'Atalante*,
symbolise la fusion des deux
amants en un seul – Adèle –
qui vit la relation amoureuse
en circuit fermé.

«Sa rage d'écrire, son
sourire sur l'arbre au
spectacle de son amant
qui la trompe, son
geste pour l'empêcher
de parler, son
effondrement dans
le fiacre, sa marche
hallucinée dans les
rues de Gorée [en haut,
à droite], en font une
des héroïnes les plus
troublantes du cinéma
de toujours [...]. Cette
enfant sauvage à la
peau douce, cette
mariée en noir sans
domicile conjugal,
cette pianiste qui a
connu l'amour et la
mort à vingt ans, nous
donne terriblement
envie d'aimer, de
lutter, de vivre.»
Claude Beylie, *Ecran*

En bas, à droite, la
véritable Adèle
Hugo, fille du poète
Victor Hugo, qui vécut
de 1830 à 1915.

Pour les connaisseurs de *L'Atalante* et de ses mélodies, la musique de Jaubert dépasse dans *Adèle H.* ses fonctions dramatiques évidentes. Visuellement, *Adèle H.* recrée le passé historique, qui se manifeste à travers une forme écrite : le cadrage

"Le film était tout entier dans le visage [d'Adjani]. Il fallait donc un décor presque monochrome. Au cinéma, nous voyons les images dans l'obscurité, notre vision est donc intensifiée. [...] Si l'on veut obtenir des tonalités «vraies», il faut baisser tous les tons du décor et des costumes. Dans la séquence finale, pourtant, à l'île de la Barbade, nous avons déployé une large palette de couleurs pour bien opposer les Tropiques à la Nouvelle-Ecosse."

Nestor Almendros, *Un Homme à la caméra*

soigneux, la composition et l'éclairage rappellent le XIXe siècle des lettres et des journaux intimes. Musicalement, le film recrée le passé du cinéma, les années trente du réalisme poétique, de ces harmonies visuelles et auditives qui, à l'époque, marquèrent si profondément Truffaut. Ce contrepoint entre le littéraire et le cinématographique, entre le visuel et le sonore, le texte pré-existant et l'image animée qui s'en inspire, est au centre de toute son œuvre ; c'est un réalisateur pour qui les livres et les films ont toujours été plus «réels» que la vie, aux yeux de qui le passé semble être plus vivant – ou tout au moins plus riche esthétiquement – que le présent.

La petite Sylvie insiste pour emporter au restaurant un vieux sac en forme d'éléphant. Ses parents refusent et son père lui dit que si elle s'obstine, «alors, ta mère et moi, nous te laissons ici toute seule». Sylvie répond calmement : «Ça m'est égal.» Ils sortent, elle s'enferme à clef, va à la fenêtre, et crie : «J'ai faim... J'ai faim» (ci-contre, en haut). Les voisins, bouleversés, s'organisent pour lui faire parvenir un repas (ci-contre, au milieu et en bas); et Sylvie déclare avec fierté, «tout le monde m'a regardée.»

Dans le cinéroman de *L'Argent de poche*, Truffaut explique ainsi : «Ballottés entre leur besoin de protection et leur besoin d'autonomie, les enfants ont parfois à subir les caprices des adultes, donc à se défendre et à s'endurcir. Je précise : pas à se durcir mais à s'endurcir. Voilà ce que nous voulions, Suzanne Schiffman et moi, exprimer dans *L'Argent de poche*, mais évidemment pas sur un mode emphatique ou solennel.»

L'enfance au kaléidoscope

Après *Adèle H.*, Truffaut ressentit le besoin de passer d'une voix en solo à un orchestre plus enjoué. *L'Argent de poche*, portrait kaléidoscopique de l'enfance, joue sur l'improvisation et l'anecdote plutôt que sur une stricte scénarisation. Il met en scène les histoires entrecroisées de plusieurs personnages, ressemblant ainsi à *La Nuit américaine* dans sa manière de tisser tranquillement les vies d'un groupe de personnages. Il suit une douzaine d'enfants dont l'âge s'échelonne de quelques semaines à douze ans, de la première tétée au premier baiser de l'adolescence.

"Je ne me lasse pas de tourner avec des enfants. Tout ce que fait un enfant sur l'écran, il semble le faire pour la première fois et c'est ce qui rend tellement précieuse la pellicule consacrée à filmer de jeunes visages en transformation.**"**
François Truffaut

Qu'elle accompagne les enfants, les professeurs ou les parents, la musique de Jaubert est d'un entrain constant dans *L'Argent de poche*. Quoique la bande-son soit dans l'ensemble discrète, Truffaut invente un style de documentaire comique où le son est mis en valeur. Fruit de la présence des soldats américains en France, Oscar est un bébé de la guerre : son père ne parlait pas plus français que sa mère anglais. Ses parents n'ayant pas de langue commune, il ne pouvait communiquer avec eux qu'en sifflant ! Adulte, Oscar, qui a tourné son handicap en art, est un siffleur renommé. Truffaut distancie le spectateur à travers un commentaire de type documentaire. Une séquence hilarante montre le développement d'Oscar, entrecoupée par une scène où deux jeunes couples de spectateurs se livrent à leurs premières approches amoureuses au balcon d'un cinéma. La mère

d'Oscar s'appelle Madeleine Doinel (Oscar serait-il un frère d'Antoine ?) et est interprétée par la fille de Truffaut, Laura, née en 1959. Truffaut appréciait qu'Oscar ait réussi au point de devenir siffleur professionnel : «J'ai toujours aimé cette transformation de points faibles en points forts.»

Un enfant truffaldien

Truffaut apparaît brièvement dans le rôle du père de Martine, une adolescente, dans la première scène. Sa présence suggère sa paternité à l'égard du film lui-même. Nombre d'enfants ainsi que d'adultes de *L'Argent de poche* reflètent la personnalité du réalisateur ; les plus truffaldiens des personnages sont sans doute Julien, l'enfant battu, et le chaleureux instituteur Richet.

Julien, garçon sombre et mystérieux, arrive à l'école en plein milieu de trimestre. Etranger au reste de la classe, il s'assied au dernier rang et, comme Antoine dans *Les 400 Coups*, se trouve mis à la porte de la classe. Comme il ne peut pas rentrer chez lui, il erre dans les rues et se retrouve dans une fête foraine. Mais là où Antoine connaissait au moins la joie de faire un tour sur une attraction et – plus important – d'avoir un compagnon avec lui, Julien n'est plus qu'un solitaire qui erre pitoyablement dans le parc d'attractions.

Plus de deux cents visages d'enfants traversent *L'Argent de poche*, tous jouant pour la première fois. Truffaut cite trois «guides» pour ce film : Victor Hugo et son *Art d'être grand-père*, les chansons de Charles Trenet et Ernst Lubitsch : «Je les vois comme trois poètes ayant réussi à garder l'esprit d'enfance [...]. Il s'agissait de faire rire

au détriment des enfants mais avec eux, pas même aux dépens des adultes mais avec eux, d'où la recherche d'une délicate balance entre gravité et légèreté.»

Il attend que tout le monde soit parti, puis ramasse les petits objets tombés des poches des fêtards.

Comme l'enfant sauvage de l'Aveyron, Julien est physiquement marqué par de mauvais traitements ; mais Truffaut montre ici la même pudeur ou le même refus de la violence explicite. L'intégrité du personnage de Julien, qui ne laisse pas voir sa douleur, s'en trouve renforcée. De même, la caméra ne pénètre jamais dans le taudis où le garçon habite avec sa mère et sa grand-mère, qui y vivent en recluses. *L'Argent de poche* invite plutôt à éprouver un sentiment de soulagement quand ces deux «folles» sont emmenées hors de chez elles et envoyées en prison.

Un plaidoyer pour les enfants

Julien n'a pas de père ; l'instituteur Richet (Jean-François Stévenin), lui, est sur le point de le devenir. Juste après la naissance de son fils, il parle avec excitation à ses élèves du bébé, répondant à leurs questions avec une joyeuse naïveté. Plus tard, dans son discours de fin d'année à la classe, Richet semble parler pour Truffaut : «C'est parce que je garde un mauvais souvenir de ma jeunesse et que je n'aime pas la façon dont on s'occupe des enfants que j'ai choisi, moi, de faire le métier que je fais : être instituteur.»

L'instituteur de *L'Argent de poche*, Richet, est joué par Jean-François Stévenin (ci-dessus), qui devint réalisateur après son apprentissage auprès de Truffaut. Dans *La Nuit américaine*, il était assistant à la mise en scène – derrière la caméra aussi bien que sur l'écran. Depuis, il a réalisé plusieurs films, dont *Passe-montagne*, fort inspiré par l'œuvre du cinéaste indépendant américain John Cassavetes.

Il prononce un plaidoyer pour les droits des enfants qui traduit bien l'état d'esprit du metteur en scène : «Un jour vous aurez aussi des enfants [...] ils vous aimeront si vous les aimez ; et, si vous ne les aimez pas, ils reporteront leur amour ou leur affection, leur tendresse, sur d'autres gens ou d'autres choses, parce que la vie est ainsi faite qu'on ne peut se passer d'aimer ou d'être aimé». Ce thème allait animer les deux films suivants, qui continuèrent à adapter la musique de Jaubert à des contextes différents. *L'Argent de poche* fait la paix avec le monde de l'enfance, qui était douloureusement représenté dans les œuvres précédentes, tandis que *L'homme qui aimait les femmes* établit une trève affectueuse avec le sexe opposé.

Solitaire, nerveux et obsessionnel

Bertrand (Charles Denner) est un séducteur solitaire, nerveux et obsessionnel, alors que les femmes qu'il poursuit de ses assiduités sont chaleureuses, lucides et autonomes. De Martine (Nathalie Baye) à Geneviève (Brigitte Fossey), dont la voix *off* ouvre et clôt la narration, chacune a sa personnalité et manifeste une ouverture d'esprit qui contraste avec l'absolutisme des précédentes héroïnes de Truffaut.

Tel qu'il est incarné par Denner (qui interprétait l'artiste Fergus dans *La Mariée* ainsi qu'un tueur de cafards amoureux dans *Une Belle Fille*), Bertrand n'est guère un séducteur classique. Il partage une certaine ressemblance physique avec le Charlie (Aznavour) de *Tirez sur le pianiste* et tous les deux redoutent l'intimité. Ce n'est ni un besoin sexuel, ni l'espoir d'une relation durable qui stimule Bertrand mais la nécessité

«Les jambes de femmes sont des compas qui arpentent le globe terrestre en tout sens, lui donnant son équilibre et son harmonie», proclame Bertrand dans *L'homme qui aimait les femmes*. Clins d'œil de Truffaut à cette confession : dans *Le Dernier Métro*, Marion monte l'escalier devant Lucas afin qu'il puisse voir ses jambes ; dans *Vivement Dimanche!*, Barbara, sachant que Julien la regarde, passe au-dessus d'un soupirail.

d'échapper à sa solitude. Comme Truffaut le révèle dans la dernière partie de *L'homme qui aimait les femmes*, la quête frénétique de Bertrand trouve sa source dans le traumatisme de son rejet, non seulement par Véra (Leslie Caron), la seule femme qu'il a réellement aimée, mais par sa mère.

La question de l'autobiographie

Comme de nombreux protagonistes créés par Truffaut, Bertrand n'a pas connu son père et a été mal aimé par sa séduisante mère. Son roman autobiographique, que Geneviève se chargera d'éditer et dont le titre est aussi celui du film, puise son inspiration dans cette relation faite d'insécurité. Peu à peu, il comprend que ses expériences amoureuses et littéraires sont comme l'écho des relations sans lendemain collectionnées par sa mère. Le film, construit en flash-back à partir des funérailles de Bertrand, opère un second retour en arrière au cours duquel le jeune garçon qu'il fut découvre une liste détaillée des amants de sa mère. Truffaut crée une rime visuelle en montrant l'enfant grimpé sur une chaise pour attraper cette liste puis l'adulte hissé sur la pointe

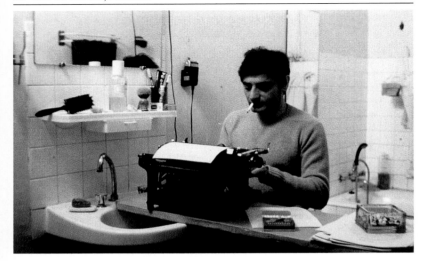

des pieds pour atteindre sa machine à écrire. L'écriture apparaît comme une tentative de reproduction des exploits maternels.

A nouveau, les liens profonds entre metteur en scène et protagoniste apparaissent clairement. Bien qu'il soit réducteur d'assimiler Bertrand à Truffaut, la question centrale posée par Bertrand, «comment faut-il écrire quand on parle de soi?» est celle que le réalisateur n'a cessé de traiter depuis *Les 400 Coups*. Le texte de Bertrand mêle les nombreuses femmes qu'il a aimées, comme le scénario de Truffaut est nourri d'allusions à son œuvre antérieure.

Mémoire et immortalité : «La Chambre verte»

Si Bertrand est un solitaire qui cherche à se lier avec toutes les femmes, le héros de *La Chambre verte*, Julien Davenne – interprété par Truffaut – est hanté par une seule femme. Ce film sombre trouve sa source dans deux nouvelles de Henry James, *L'Autel des morts* et *La Bête de la jungle*, et dans l'affliction de James à la suite de la mort de sa fiancée. Il semble que la maison où James passa les dix-neuf dernières années de sa vie comprenait une «chambre verte», tapissée de portraits des personnes qu'il avait aimées.

Prolongeant la séduction par l'écriture, Bertrand (ci-dessus) consigne ses rencontres avec les femmes. Entre 1973 et 1975, Truffaut s'était accordé une pause pour rédiger *Les Films de ma vie*, recueil de témoignages sur ses rencontres cinématographiques les plus marquantes. Lorsque Bertrand dit «Ma nouvelle maîtresse s'appelle Underwood», ne voudrait-il pas dire que «l'amour» le plus durable serait une machine à écrire?

Dix ans après la fin de la Première Guerre mondiale, Julien rédige des nécrologies pour une revue provinciale. Quoiqu'il n'ait pas été blessé à la guerre, la sauvagerie dont il a été témoin l'a marqué ; mais sa véritable souffrance vient de la mort, onze ans auparavant, et quelques mois seulement après leur mariage, de sa jeune épouse. Si la douleur de Julie Kohler dans *La mariée était en noir* se transmuait en vengeance, celle de Julien prend la forme d'une cérémonie du souvenir ; comme il le dit à son ami Mazet dont la femme vient de décéder : «Les morts nous appartiennent si nous acceptons de leur appartenir.»

Julien a chez lui une chambre verte qui lui sert de mémorial. Il rencontre Cécilia Mandel (Nathalie Baye), une jeune femme douce qui partage avec lui cette même méditation sur un amour défunt. Elle tente de ramener Julien vers la vie mais celui-ci est tout entier occupé à la restauration d'une chapelle qu'il veut dédier à ses chers fantômes.

«J'aime les morts»

Le film baigne dans la lueur des cierges. Truffaut explique ainsi : «Dans tous mes films d'époque, il y avait des acteurs portant des cierges

Les deux nouvelles de Henry James dont s'inspire *La Chambre verte* sont situées à la fin du XIXe siècle ; Truffaut et son fidèle collaborateur, le scénariste Jean Gruault, les transposent lors de la Première Guerre mondiale. Cela confère au personnage de Julien une qualité poignante : il survit à la guerre... pour céder à la mort un peu plus tard. L'époque est en outre celle de *Jules et Jim*.

SCÉNARIO DE **FRANÇOIS TRUFFAUT** ET **JEAN GRUAULT** SUR DES THÈMES DE **HENRY JAMES**

ou des bougies. J'ai toujours aimé cet aspect liturgique et je voulais le pousser à ses limites. Sans être croyant, comme Julien Davenne, j'aime les morts. Je crois qu'on les oublie trop vite, nous ne les honorons pas assez. Sans aller aussi loin que Davenne – qui est obsédé, aimant les morts plus que les vivants – je trouve que se souvenir des morts permet de lutter contre le caractère provisoire de la vie.»

La musique de Jaubert (surtout le *Concert flamand* de 1936) colore *La Chambre verte* d'une sombre majesté. Elle alterne entre la retenue et la violence, exprimant ainsi la personnalité de Julien. Quand il regarde les photos de Julie sur le mur de la chambre et dans les scènes de la chapelle, le *crescendo*

"Même si *La Chambre verte* fut inspirée par Henry James, ses effets visuels ont une autre source : le générique du feuilleton américain, *Kung Fu*, qu'on voyait en France au début des années 1970. Chaque semaine, pendant qu'on regardait la même séquence de flash-back où figurait un autel de bougies, mon père annonçait avec enthousiasme qu'un jour il montrerait autant de bougies sur l'écran. L'autel aux morts dans *La Chambre verte* a fourni cette occasion.**"**
Laura Truffaut,
Film Comment

orchestral suscite lui-même les mouvements de caméra. On entrevoit les photographies des êtres pleurés, y compris celle de Henry James, dont Julien dit : «C'est à travers lui que j'ai appris l'importance du respect pour les morts.» Un gros plan révèle la photographie de Jaubert, les bras levés, tandis que les chandelles en surimpression semblent vaciller sous sa baguette. La musique s'élève alors, comme pour rendre hommage à son créateur.

La couleur de *La Chambre verte* est accentuée par les ténèbres et les bougies. Une critique dans *Télérama* évoquait ainsi le héros comme «l'homme qui aimait les flammes».

Deneuve, Depardieu, Truffaut.

The Last Metro
A story of love and conflict.

« **S**ur la question de l'amour, les femmes sont des professionnelles et les hommes des amateurs. Je crois que les femmes vivent l'amour de deux façons : elles éprouvent ce sentiment et y réfléchissent en même temps. Les hommes ne réfléchissent pas sur ce qu'ils ressentent... Jusqu'à ce qu'il soit trop tard. »

François Truffaut

CHAPITRE VI
« L'AMOUR FAIT MAL »

Les personnages de Truffaut se définissent souvent à travers la littérature : à droite, Marie-France Pisier lit le roman autobiographique d'Antoine Doinel (*L'Amour en fuite*); dans *Le Dernier Métro*, c'est par le théâtre que les personnages se définissent.

Les quatre derniers films du cinéaste ont en commun les tentatives de leurs personnages – maladroites ou désastreuses – pour aimer d'un amour romantique. Truffaut dit un jour dans une conversation : «Le seul amour, c'est l'amour empêché» – ou était-ce «en péché»? Il traita de cela sur un mode léger dans *L'Amour en fuite* (1979) et *Vivement dimanche!* (1983) et plus sérieusement dans *Le Dernier Métro* (1980) et *La Femme d'à côté* (1981).

Antoine écrivain, la fin du cycle Doinel

L'Amour en fuite (1979) retrouve Antoine à l'approche de la quarantaine. Dans un ensemble de flash-backs, Truffaut «cite» des passages des *400 Coups*, d'*Antoine et Colette*, de *Baisers volés* et de *Domicile conjugal*, créant une complicité avec les spectateurs qui voient Léaud et ses partenaires avancer en âge.

Antoine-Léaud est devenu écrivain. Il est en bons termes avec Christine (Claude Jade) malgré leur divorce imminent. Au fil de rencontres de hasard avec des personnages de son passé – Colette

Le chef opérateur Nestor Almendros a décrit le tournage de *L'Amour en fuite* comme rapide, nerveux, «trépidant comme une comédie», ajoutant que «pour les comédies, Truffaut travaille comme Frank Capra. Assuré d'avoir une bonne prise, il en tourne une autre, chronomètre en main, en demandant aux acteurs la même action, les mêmes dialogues, les mêmes nuances, mais en accélérant le rythme pour gagner quelques précieuses secondes». Ci-dessus, Antoine-Jean-Pierre Léaud et, à droite, Sabine-Dorothée.

(Marie-France Pisier) dont il était épris dans *Antoine et Colette* et Liliane (Dani), la petite amie de *La Nuit américaine* –, il se réconcilie avec ses souvenirs.

Sur un ton tout à la fois emprunté et affectueux, son roman autobiographique passe en revue les films du cycle Doinel. Colette vient d'en faire l'acquisition. Quand elle ouvre le livre, le montage enchaîne sur une scène des *400 Coups* qui se termine par une gifle à Antoine, menant Colette à refermer brutalement son livre. Au-delà du point de vue du public, est créée l'illusion d'une vie «réelle» vécue pleinement par les personnages.

Une nouvelle femme est entrée dans la vie d'Antoine, Sabine (Dorothée), pétillante vendeuse de disques, qu'il poursuit de ses assiduités avec une obsession toute doinelienne. Elle se

L'Amour en fuite n'est pas une recherche permanente de l'amour perdu : à propos du personnage de Sabine, Truffaut avouait : «Pour que la fin ne soit pas trop triste, je devais introduire une nouvelle femme.»

laisse finalement conquérir. Après avoir réexaminé
et révisé son passé, Antoine est capable de
commencer un nouveau chapitre avec elle.

La juxtaposition de «vrais» et de «faux» flash-backs
(ces derniers adroitement greffés aux extraits des
films précédents) démontre que les images du
réalisateur sont loin d'être «en fuite»: malgré la
vélocité de la narration, elles sont rigoureusement
composées et montées pour susciter l'émotion du
spectateur – sans manquer non plus de faire appel
à son intelligence.

Un hommage à la scène

Si *L'Amour en fuite* puise dans le passé fictif de
Doinel, *Le Dernier Métro* est ancré dans le passé
véridique de la dernière guerre. Couronné par
de nombreux Césars, c'est un des films les plus
populaires de Truffaut – à la fois un portrait
d'une femme forte en temps de guerre et un
hommage à la scène. Le film condamne l'esprit
de collaboration qui contribua à la persécution
des Juifs, tout en saluant (comme Ernst Lubitsch
l'avait fait dans *To Be or Not to Be*) le scepticisme
inné des gens de théâtre à l'égard de l'autorité
gouvernementale.

Lucas et Marion
Steiner, Catherine
Deneuve et Heinz
Bennent dans *Le
Dernier Métro.*

Dans le Paris de 1942, Marion (Catherine Deneuve), une belle actrice, prend la direction du théâtre Montmartre après que son mari, Lucas Steiner (superbement joué par Heinz Bennent), un metteur en scène juif allemand, ait dû passer dans la clandestinité et se réfugier dans la cave. Le nouvel acteur Bernard (Gérard Depardieu), un résistant dans l'âme, s'est attaché à cette troupe, et particulièrement à Marion. Le critique dramatique pro-nazi Daxiat (Jean-Louis Richard) menace de fermer ce théâtre trop indépendant à son goût, mais Marion manœuvre habilement pour continuer à le maintenir en fonctionnement. Chaque soir, la troupe réussit à baisser le rideau à temps pour attraper le dernier métro.

Le film est rempli d'exemples de débrouillardise et de résistance quotidiennes : des phares d'auto, alimentés par des accessoiristes pédalant à bicyclette, font office de lumières de scène. Quand un petit garçon se fait caresser la tête par un soldat allemand, sa mère lui ordonne de se laver les cheveux – comme sa grand-mère avait demandé à Truffaut de le faire.

Ayant lu que, sous l'Occupation, plus d'une quinzaine de théâtres à Paris furent dirigés par des actrices, Truffaut décida que son héroïne serait une «directrice» et il pensa tout de suite à Deneuve pour le rôle de Marion. Dans son introduction au scénario, Truffaut avoue, «Catherine nourrissait des inquiétudes quant aux scènes de théâtre. Elle était seule de toute la distribution à n'être jamais montée sur les planches et elle se demandait si elle serait capable d'articuler comme au théâtre, de ralentir son débit de parole et de projeter sa voix vers le balcon. Elle y réussit parfaitement.»

Dans les coulisses

D'un autre côté, Truffaut met au premier plan les aspects stylisés de cette histoire sur le théâtre. Tout comme *La Nuit américaine* est construite autour d'un tournage, *Le Dernier Métro* met en scène les coulisses du théâtre. Les deux films ont pour personnage central un metteur en scène dont le pouvoir est mis en question : si Ferrand porte un Sonotone mais voit tout, Lucas, lui, du fond de sa cave est contraint d'écouter les répétitions à travers les canalisations. Dans les deux cas, il s'agit de la difficulté d'aimer : même si Marion succombe finalement à l'étreinte passionnée de Bernard, l'image qui demeure est celle des instants amoureux clandestins de Lucas et Marion dans leur «taudis conjugal».

Dans la pièce que Marion et Bernard jouent sur scène, le personnage de Bernard reconnaît que c'est à la fois une joie et une souffrance de la regarder. La femme semble dominer grâce à sa beauté – ce qui est effectivement le cas pour Marion dans ses négociations en coulisses avec la Gestapo. Mais Truffaut offre au public un aperçu à la Renoir de la manière dont les personnages se créent une façade : même Marion, qui semble si calme en compagnie de Lucas le soir de la première, va vomir en cachette avant d'entrer en scène.

•• Finalement la ruse est importante dans ce métier. Par exemple, il arrive qu'on donne à un des acteurs des indications à l'insu des deux autres [...]. C'est pour ça que j'aime tellement le cinéma ; je ne serais pas à l'aise dans la mise en scène de théâtre parce qu'il faut s'adresser à tout le monde en même temps ; au cinéma, bien qu'on soit très nombreux autour de la caméra, il y a quelque chose de très intime, c'est un travail souterrain et secret et qui me convient beaucoup.••

François Truffaut
[dirigeant Depardieu, ci-dessous]

Page de gauche, en haut, Deneuve-Marion et Depardieu-Bernard. En bas, Heinz Bennent-Lucas.

Un triangle amoureux

Si les circonstances forcent Lucas à rester invisible, il n'est pas pour autant réduit à l'impuissance : il parvient à transformer sa cave en un chez-lui qui ressemble à un décor, à conseiller les acteurs par l'intermédiaire de Marion, à improviser, pour finalement incarner le théâtre. Il est le véritable héros du film, se préparant patiemment – comme Montag dans *Fahrenheit 451* – pour la fin des temps obscurs. C'est sans doute le personnage le plus poignant du film, et le tonnerre d'applaudissements pour la pièce, sur lequel s'achève *Le Dernier Métro*, ne devient une ovation que lorsque Lucas sort de l'ombre pour aller saluer sur scène. Les trois protagonistes saluent et le

Truffaut a su mettre en valeur chez Depardieu des côtés cachés, une grande sensibilité et de la passion réprimée : ci-dessous, dans les bras de sa maîtresse, Fanny Ardant, dans *La Femme d'à côté*. Le comédien a parlé d'ailleurs de Truffaut comme son réalisateur préféré, ajoutant : «Un acteur est une sorte d'enfant, avec les instincts privilégiés de l'enfance. Il faut que les acteurs travaillent

triangle amoureux, fatal dans les films précédents, trouve son harmonie salvatrice : la femme ne doit plus choisir entre mari et amant, car chacun d'eux a reconnu l'existence de l'autre.

pour retrouver leur capacité à réagir à tout – une disponibilité du corps entier.» Truffaut évoque un acteur instinctif et sensible, avec une gamme de jeu très étendue.

Romantisme et passion

La Femme d'à côté renoue avec les thèmes de la douleur de la passion romantique et la violence émotionnelle de l'«amour empêché» – contrarié cette fois-ci par la monogamie. Dans cette histoire contemporaine qui a pour cadre les alentours de Grenoble, Truffaut tresse les fils de l'amour et du meurtre qui courent à travers son œuvre antérieure. Mathilde (Fanny Ardant) et son mari ont pour voisin

Bernard (Gérard Depardieu) et sa femme. Il devient évident que Mathilde et Bernard ont un passé amoureux commun, une liaison tumultueuse qui continue de les hanter huit ans plus tard.

Bernard résiste à l'attraction de Mathilde, allant jusqu'à se cacher lors du dîner que sa femme donne pour les voisins. Quand ils se croisent au supermarché, ni l'un ni l'autre ne peut résister à un baiser dans le parking, qui se transforme en une étreinte si passionnée que Mathilde perd connaissance. Ils commencent à se voir en cachette à l'hôtel, jusqu'à ce que la culpabilité pousse Mathilde à mettre fin à leurs ébats. Quoique Bernard semble accepter cette rupture, il perd le contrôle de lui-même lors d'une *garden party* et attaque Mathilde.

« Attends, attends », dit Fanny Ardant à Depardieu dont elle caresse le visage. «J'attends», lui répond-il. L'on retrouve des échos de ce discours amoureux de l'attente dans *Le Dernier Métro* et *Vivement dimanche!*

Leurs époux leur pardonnent mais la séparation des amants causera la perte de Mathilde : après une hospitalisation pour dépression nerveuse, sa guérison se révèle illusoire.

Une folie calme

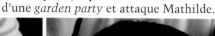

Truffaut fait de *La Femme d'à côté* l'histoire de Mathilde et transforme le splendide visage de Fanny Ardant en un paysage expressif. Les gros plans de la première partie expriment sa joie de retrouver Bernard, puis son embarras lorsqu'ils se retrouvent à l'hôtel pour la deuxième fois. Alors que leur relation semble sans issue, la caméra saisit sa douleur, surtout lors de son hospitalisation, quand elle réalise que

Bernard lui rend visite par devoir plus que par amour. A la fin du film, Mathilde est prisonnière d'une folie calme qui n'est pas sans rappeler celle d'*Adèle H.*

Comme Catherine à la fin de *Jules et Jim*, Mathilde attire Bernard hors de son lit conjugal pour un dernier baiser. L'étreinte amoureuse culmine en deux coups de feu : Mathilde tue Bernard puis se donne la mort.

Mises à distance

La passion qui traverse le film est contrebalancée par le style relativement discret de Truffaut, qui donne à *La Femme d'à côté* un ton particulier. Cette mise à distance est opérée par le personnage d'Odile Jouve (Véronique Silver). Le film s'ouvre sur sa séduisante présence maternelle, alors qu'elle interpelle directement la caméra, lui demandant même de reculer un peu pour montrer qu'elle est estropiée. On réalise bientôt que Mathilde n'est pas la seule femme du film à avoir souffert du mal d'amour. Odile a essayé de se suicider en sautant par la fenêtre, vingt ans plus tôt, et son amant n'en a jamais rien su.

Odile convainc Bernard de rendre visite à Mathilde à l'hôpital, puis est capable de relater leur mort d'un ton détaché (comme les voix *off* masculines des

Odile, narratrice du film (Véronique Silver, ci-dessous), s'en va avant le retour de son ancien amant. Elle veut éviter ce que vit Mathilde – la turbulence d'une ancienne passion après avoir trouvé le repos.

précédents films de Truffaut). La perspective qu'elle ajoute à *La Femme d'à côté* contribue à élever le film au-dessus du mélodrame. Cette distanciation se retrouve également dans la prise de vue. Quand Bernard s'en prend à Mathilde pendant la *garden party*, la caméra reste derrière une fenêtre, cadrée sur d'autres personnages en train d'observer le couple. Le public est ainsi moins sensibilisé à l'altercation elle-même qu'au spectacle qu'elle offre, et tend à s'identifier aux témoins embarrassés et étonnés plutôt qu'aux amants.

«Vivement dimanche!», léger et policier

Le style de Truffaut prend un tour bien plus léger dans *Vivement dimanche!* – de manière paradoxale, dans la mesure où il s'agit d'une énigme policière adaptée d'un roman de la Série Noire. Julien Vercel (Jean-Louis Trintignant), agent immobilier, est accusé du meurtre de son épouse infidèle, de son amant et d'un minable tenancier de night-club. Sa dynamique secrétaire, Barbara (Fanny Ardant), est persuadée qu'il est innocent et mène sa propre enquête avec énergie et intelligence. Secrètement amoureuse de Julien, elle le protège de la police ainsi que d'une bande de malfrats, typiques du cinéma policier classique.

"Avec *Vivement dimanche!* [ci-dessous], François Truffaut prouve à lui tout seul que près d'un siècle de cinéma s'est égaré en croyant que les hommes préfèrent les blondes. Le cinéaste joue à dix contre un la brune secrétaire contre sa rivale oxygénée [...]. Le film accuse définitivement la rupture avec Hitchcock et sa ribambelle de visages pâles.**"**

Philippe Le Guay, réalisateur de *L'Année Juliette* (1993), un film bien truffaldien

Pendant le générique, un long plan-séquence suit Barbara tandis qu'elle marche dans la rue, sur une musique enjouée de Georges Delerue – véritable déclaration d'amour de la part de Truffaut. A sa manière lumineuse, sexy et futée, elle réussira non seulement à résoudre l'énigme du triple meurtre mais à épouser son patron. Entre la gaieté ensoleillée des séquences initiales et finales, Truffaut joue sur la gamme des tonalités plus sombres du film noir.

Le spectateur ne sait pas si Julien est le meurtrier et doit faire confiance à Barbara, aux yeux de qui il ne peut être qu'innocent. Julien révèle d'abord un côté antipathique – il renvoie Barbara à cause d'une fausse accusation de sa femme – mais il est finalement sauvé à nos yeux par la loyauté de sa secrétaire.

Laura Truffaut raconte, dans *Film Comment,* que son père a pu trouver le financement pour un film en noir et blanc grâce au succès de *Manhattan* de Woody Allen (1979) et *Raging Bull* de Scorsese (1980). Ces deux films démentissaient l'idée des distributeurs selon laquelle le noir et blanc constitue le *kiss of death* pour un film commercial.

Retour au noir et blanc

La physionomie sculpturale de Fanny Ardant se prête remarquablement à la photographie en noir et blanc. *Vivement dimanche!* est le premier film de Truffaut depuis *L'Enfant sauvage* tourné en noir et blanc (tous deux photographiés par Nestor Almendros), ce que le réalisateur justifie ainsi : «De tous les genres cinématographiques, c'est le film policier auquel convient le mieux le noir et blanc [...]. Je voulais résister à la tyrannie de la couleur.» Le choix du noir et blanc était un défi jeté au décorateur Hilton

Mon Cher Jean-Louis,

Ce film, <u>Vivement Dimanche</u>, racontera l'histoire d'une secrétaire menant une enquête-amateur afin d'innocenter son patron accusé à tort de plusieurs meurtres.

Fanny Ardant jouera le rôle de la secrétaire et je vous propose de jouer son patron, Julien Vercel, directeur d'une agence immobilière dans une ville comme Hyères ou Sète.

Nestor Almendros sera le chef-opérateur de ce film noir et blanc dont nous tournerons peut-être certaines scènesx à la Victorine, où se tiendrait alors notre quartier général.

McConnico (qui accéda à une renommée internationale pour *Diva* de Beinex en 1981). Confronté pour la première fois au problème, il conçut tous les décors et costumes en noir, blanc et gris, puis fit exécuter trente-cinq tableaux destinés à orner les différentes scènes. L'un des exemples les plus frappants de cette décoration est une imposte dans un night-club : les formes généreuses d'une femme allongée sont gravées dans la vitre à travers laquelle Barbara surprend un meurtrier en flagrant délit.

Ce film, *Vivement dimanche!*, racontera l'histoire d'une secrétaire menant une enquête amateur afin d'innocenter son patron accusé à tort de plusieurs meurtres. Fanny Ardant jouera le rôle de la secrétaire et je vous propose de jouer son patron, Julien Vercel, directeur d'une agence immobilière dans une ville comme Hyères ou Sète. Nestor Almendros sera le chef opérateur de ce film noir et blanc dont nous tournerons peut-être certaines scènes à la Victorine [...]. Vous avez en mains le troisième traitement, il y en aura un ou deux autres visant à améliorer l'histoire et les rôles mais il s'agira d'un accroisssement de degrés plutôt que d'un changement de nature. L'histoire étant ce qu'elle est, les rôles étant ce qu'ils sont, il nous faut obtenir à l'écran de l'humour et du charme, le travail des uns et des autres devant rester invisible. [...] Si vous choisissez ce rôle comme on le fait pour une paire de chaussures, vous n'aurez plus mal aux pieds car nous adopterons une démarche souple, genre mocassins.
François Truffaut
à Jean-Louis
Trintignant,
Paris, le
9 juillet 1982

L'icône féminine traditionnelle est remplie non pas par un regard masculin, mais par l'expression intelligente du visage de Fanny Ardant.

La douleur de l'amour est exprimée également à travers les personnages secondaires. Quand l'assassin confesse sa culpabilité dans une cabine téléphonique, il s'explique dans un langage typiquement truffaldien : «Tout ce que j'ai fait, c'était pour les femmes. [...] Les femmes sont magiques [...] alors je suis devenu magicien.»

Comme *La Femme d'à côté*, *Vivement dimanche!* se termine avec une balle dans la tête, mais se conclut par un heureux événement : Barbara, visiblement enceinte, épouse Julien. D'une manière toute hitchcockienne, un homme et une femme sont passés d'une méfiance mutuelle à la confiance, surmontant la douleur de l'amour. De ce point de vue, la scène cruciale est celle où Barbara tente d'empêcher Julien d'aller voir son avocat, Clément. Elle lui confesse les sentiments qu'elle éprouve pour lui, ils font l'amour dans le bureau, et Julien semble heureux pour la première fois dans le film. Mais la police fait irruption, et Julien comprend que Barbara l'a attiré dans un piège. Heureusement, il se rend compte de sa méprise lorsque Barbara révèle, dans la scène suivante, qu'il devait être en présence de la police pour que le vrai tueur soit démasqué.

❝La couleur a été généralisée, systématisée, rendue virtuellement obligatoire par l'affaiblissement d'une industrie inquiète [...]. Mais cette absurde loi – non écrite – ne doit pas concerner les films réalisés avec soin et interprétés par des artistes connus et appréciés chez eux et à l'étranger. Les films ne sont pas des boîtes de conserve. Comme les hommes, ils doivent être envisagés, dévisagés, considérés un par un.❞

François Truffaut à Gérard Lebovici

Scénarios posthumes

Un an après la sortie de *Vivement dimanche!*, le
21 octobre 1984, François Truffaut s'éteint, victime
d'une tumeur au cerveau. Il laisse derrière lui ses
films, ses femmes, ses filles – dont Joséphine, que
Fanny Ardant mit au monde quelques mois avant
la mort du cinéaste – ainsi que trois scénarios à
différents stades d'achèvement, dont le projet de
rassembler à nouveau Depardieu et Ardant dans
une adaptation de *Nez de cuir* de La Varende.

La Petite Voleuse fut réalisé en 1988 par Claude
Miller, son ancien assistant devenu metteur en
scène (*La Meilleure Façon de marcher*, *Garde
à vue* et *L'Effrontée*). Ce projet prend sa source
dans *Les 400 Coups* qui comportait à l'origine deux
personnages principaux : Antoine et Janine, son

pendant féminin. Lorsqu'il se rendit compte qu'il
avait trop de matière pour un seul film, Truffaut
élimina la «petite voleuse» dans l'intention de lui
consacrer un jour un long métrage. Vingt-cinq ans
plus tard, il écrivit avec son collaborateur Claude
de Givray un synopsis qu'il confia, quelques mois
avant sa mort, à Claude Berri, dont il avait admiré
Le Vieil Homme et l'enfant. Après avoir vu
L'Effrontée, Berri offrit le sujet à Miller, qui avait
entendu parler de *La Petite Voleuse* au cours de ses
dix années de collaboration avec Truffaut. Aidé de sa
femme, Annie, et de Luc Béraud, Miller écrivit à

D ans *La Petite
Voleuse* (ci-contre),
Claude Miller a donné
le nom Davenne au
personnage de Michel,
créant un lien avec
La Chambre verte :
«J'ai pensé à François
en écrivant les phrases
de Michel, "la
musique, c'est comme
la peinture ou la poésie
[...], tout finit par
mourir [...]. Et la
musique [...] c'est
un moyen [...] pour
se souvenir, de tout
ce qui disparaît, et qui
ne reviendra jamais."
S'il était vivant, peut-
être j'aurais demandé
à François de jouer
le rôle.»

partir du synopsis un scénario complet destiné à Charlotte Gainsbourg, la vedette de *L'Effrontée*.

Le troisième scénario, non réalisé à ce jour, est l'*Agence Magic*, sur le milieu du music-hall, troisième volet de la trilogie sur le spectacle après *La Nuit américaine* et *Le Dernier Métro*.

Pour ceux qui ont eu la chance de correspondre avec Truffaut, il a aussi laissé derrière lui quantité de lettres qui préservent le souvenir de sa sensibilité hors du commun. C'était un homme qui, à l'image d'Antoine dans *Baisers volés*, pensait que lorsqu'on avait quelque chose d'important à dire, il fallait l'écrire. Et pour ceux qui n'eurent pas cette chance, la publication en 1988 de sa *Correspondance* fut un événement. Ce volume, qui fut un succès public et critique, fournit un parfait épilogue à son œuvre en révélant, derrière l'homme d'images, l'homme de lettres.

" François Truffaut est le plus romancier de tous les cinéastes [...] il sait dire l'ambiguïté, le flou, les flottements et les dérapages de la vie [...]. Les personnages semblent avoir à tout moment la possibilité de prendre un autre chemin, tant ils sont peu sûrs des autres et d'eux-mêmes. [...] Ce ne sont pas leurs actes les plus spectaculaires qui nous renseignent sur ce qu'ils sont profondément, mais leurs gestes, leurs hésitations, leurs propos apparemment anodins et leurs silences. **"**

Bernard Pivot

TÉMOIGNAGES
ET DOCUMENTS

Truffaut critique

Le cinéma fut pour Truffaut une passion précoce mais aussi un véritable enjeu, un débat qu'il attisa par ses écrits : «Truffaut prend la plume et cogne. Ceux qui ne connaissent de lui que ses films seraient surpris de l'extraordinaire férocité de ses articles [...] il secoue le cocotier du cinéma traditionnel avec une violence, une injustice, une fureur (parfois aveugle), que même la psychanalyse n'expliquerait pas» (Alain Riou, 1984).

Truffaut et Abel Gance réunis en 1967 pour le prix Armand Tallier.

« Paradis perdu » : premier souvenir d'un cinéfils

Mon premier souvenir d'un film précis, c'est *Paradis perdu* d'Abel Gance avec Micheline Presle et Fernand Gravey en 1939 ou 1940. C'est un film qui faisait pleurer des salles entières, parce qu'il y avait coïncidence d'époques. C'était un film sur la guerre de 14-18 et les salles étaient pleines de permissionnaires, de types qui allaient partir ou qui revenaient, alors ce fut vraiment un délire, je crois, dans la France entière. J'entendais ma mère pleurer à côté de moi ; mon père venait d'être mobilisé. Moi, je ne pleurais pas, sans doute parce que je ne comprenais pas très bien l'intrigue, mais j'étais émerveillé ; ma seule angoisse était que le film se termine.

J'ai souvent revu *Paradis perdu* depuis, et à chaque fois je pleure car c'est un mélodrame irrésistible, génial, vraiment.

Le Cinéma selon François Truffaut,
textes réunis par Anne Gillain,
Flammarion, 1988

« Vous êtes tous témoins dans ce procès : le cinéma français crève sous les fausses légendes »

Le cinéma est-il un art ?

Dans la plupart des cas, la conclusion se résume au mot oui. Il y a toujours l'exception qui confirme la règle et, dans ce cas, la conclusion est celle-ci : le cinéma n'est pas un art, car les films sont le résultat d'un travail collectif, le film est une œuvre d'équipe.

On pourrait décider tout net que, contrairement à ce qui est écrit dans toutes les *Histoires du cinéma,* contrairement à ce qu'affirment les metteurs en scène eux-mêmes, un film n'est pas plus un travail d'équipe qu'un roman, qu'un poème, qu'une symphonie, qu'une peinture.

Les grands metteurs en scène, Jean Renoir, Roberto Rossellini, Alfred Hitchcock, Max Ophuls, Robert Bresson et bien d'autres, écrivent eux-mêmes les films qu'ils tournent. Quand bien même s'inspirent-ils d'un roman, d'une pièce, d'une histoire vraie, le point de départ n'est qu'un prétexte. Un cinéaste n'est pas un écrivain, il pense en images, en termes de mise en scène, et rédiger l'ennuie [...].

Cet article qui, à l'intérieur de la «profession», fera sourire ceux qu'il ne mettra pas en colère, m'est dicté par un amour profond, total, du cinéma et le mépris de ceux qui en vivent sans l'aimer. Il n'y a pas de crise du cinéma car s'il y avait une crise, les producteurs cesseraient de produire, ce qui n'est pas le cas, le chiffre des investissements grimpant chaque année, en même temps il est vrai que celui des déficits, mais là réside le divin mystère [...]. S'il y avait une crise du cinéma, ce serait une crise d'hommes et non une crise de sujets – les sujets ne sont pas des légumes qui poussent bien ou mal selon le temps qu'il fait.

En fait, je trouve qu'il est stupide de se lamenter, à quelque échelon que l'on soit. Que ceux qui, travaillant dans le cinéma ne sont pas satisfaits, changent de métier; personne n'est venu au cinéma que de son plein gré. Si les scénaristes sont déçus par les metteurs en scène, que ne tournent-ils eux-mêmes les films qu'ils écrivent? Si les réalisateurs ne sont pas contents de leurs producteurs, que ne financent-ils leurs films eux-mêmes? [...]

Le cinéma italien, qui éclata en 1943 sous le poids de *Scipion l'Africain*, ressuscita avec *Rome, ville ouverte*, qui est la première pierre du néo-réalisme. Pour acheter la pellicule, Roberto Rossellini dont je vais dire beaucoup de bien, vendit son appartement. Comme il

A nna Magnani, dans *Rome, ville ouverte*.

n'avait pas d'argent pour la développer, il réalisa son film jusqu'au bout sans jamais voir de rushes, nerveusement, implacablement, brutalement, sans défaillance et sans prendre le temps de se gratter la tête; dans la rue il priait les passants de faire ceci ou cela et si l'un d'eux malgré ses ordres regardait la caméra, il descendait lui casser la figure. Quand le film fut terminé, Rossellini vendit à une vieille comtesse italienne trois Chirico qu'il possédait encore et le film fut développé enfin et sonorisé, ayant été tourné en muet. Au bout de ce marathon dans la nuit, il y avait festival de Cannes, un homme d'affaires américain et avisé, la fortune [...]

Il n'y a pas de mauvais films : il n'y a que des réalisateurs médiocres

Je ne crois pas aux bons et aux mauvais films, je crois aux bons et aux mauvais metteurs en scène. Il est possible qu'un cinéaste médiocre ou très moyen réussisse un film de temps à autre, mais cette réussite ne compte pas. Elle a moins d'importance qu'un ratage de Renoir, si tant est que Renoir puisse rater un film. [...]

Un metteur en scène possède un style que l'on retrouve dans tous ses films, et ceci vaut pour les pires cinéastes et leurs pires films. Les différences d'un film à l'autre, un scénario plus ingénieux, une meilleure photo, je ne sais quoi, n'ont pas d'importance, car ces différences tiennent justement à cet apport de l'extérieur, plus ou moins d'argent, un plus ou moins long temps de tournage. L'essentiel est qu'un cinéaste intelligent et doué demeure intelligent et doué quel que soit le film qu'il tourne. Je suis donc partisan de juger, lorsqu'il s'agit de juger, non des films mais des cinéastes. Je n'aimerai jamais un film de Delannoy, j'aimerai toujours un film de Renoir.

Le film de demain sera tourné par des aventuriers

Ce que l'on pourrait écrire qui soit pessimiste sur le cinéma français est ceci : au moment où le cinéma hollywoodien se libère, où les cinéastes commencent enfin à tourner les films de leur choix, où les Nicholas Ray, les Richard Brooks, les Aldrich, les Anthony Mann, les Kazan, les Mankiewicz, les Logan tournent des films sur la guerre, contre la guerre, contre la publicité, des films extrêmement libres à tous points de vue, les cinéastes français, parcourant un chemin inverse, s'apprêtent à singer l'Hollywood d'il y a cinq ans. Nos cinéastes deviennent des esclaves de la superproduction et, comme ils n'ont pas tous la force d'Ophuls, ils se laissent dévorer, absorber par le standing démesuré des films d'aujourd'hui. [...]

Plus les films sont chers, plus ils sont bêtes dans notre système de production, plus ils sont impersonnels et anonymes. [...]

Le film de demain m'apparaît donc plus personnel encore qu'un roman, individuel et autobiographique comme une confession ou comme un journal intime. Les jeunes cinéastes s'exprimeront à la première personne et nous raconteront ce qui leur est arrivé : cela pourra être l'histoire de leur premier amour ou du plus récent, leur prise de conscience devant la politique, un récit de voyage, une maladie, leur service militaire, leur mariage, leurs dernières vacances, et cela plaira presque forcément parce que ce sera vrai et neuf.

Un film de trois cent millions pour s'amortir doit plaire à toutes les couches sociales dans tous les pays. Un film de soixante millions peut s'amortir simplement sur la France ou en touchant de petits groupes dans beaucoup de pays.

Le film de demain ne sera pas réalisé par des fonctionnaires de la caméra, mais par des artistes pour qui le tournage d'un film constitue une aventure formidable et exaltante. Le film de demain ressemblera à celui qui l'a tourné et le nombre de spectateurs sera proportionnel au nombre d'amis que possède le cinéaste.

Le film de demain sera un acte d'amour.

François Truffaut,
Arts, 9 mai 1957

Renaissance du cinéma américain

Louis Lumière, aux débuts du cinéma, avait impressionné le public avec des vues documentaires : *Le train arrivant en gare de La Ciotat, L'Entrée d'une barque dans le port de Toulon*, mais les Américains avaient très vite compris qu'il fallait faire dérailler le train et renverser la barque afin de surpasser la quotidienneté et, dès lors, ils devinrent les champions incontestés du cinéma de fiction. [...]

En quelques années, sont arrivés Jack Nicholson, Dustin Hoffman, Al Pacino, Richard Dreyfuss, Robert de Niro, et le dernier en date, John Travolta qui, selon moi a sur ses collègues la supériorité d'être aussi agréable à regarder qu'une belle fille. La bisexualité, apparente, de Travolta fait de lui l'acteur le plus moderne, celui qui sonne le glas de la virilité obligatoire. Travolta, c'est l'anti-John Wayne. Sur le nom et la silhouette de Travolta devraient logiquement se réconcilier les spectatrices qui aimaient Rhett Butler et celles qui préféraient Ashley Wilkes. [...]

Tout change à Hollywood mais rien ne change; cet endroit reste toujours aussi accueillant aux étrangers à condition qu'ils s'essuient les pieds en entrant (afin de ne pas apporter leur patrie sous la semelle de leurs souliers). Depuis trois ans, les cameramen d'Hollywood refusaient à Nestor Almendros le permission de travailler en Californie et soudainement, conquis par la beauté de son travail dans *Days of Heaven*, de Terrence Malick, film tourné au Canada, ils lui décernent, avec *fair play*, l'Oscar de la meilleure photographie.

Il arrive bien souvent que ces généreux américains me proposent de venir tourner chez eux, je leur fais presque toujours la même réponse : « Avec mon goût pour les anti-héros et les histoires d'amour douces amères, je me sens capable de réaliser le premier James Bond déficitaire. Est-ce que cela vous intéresse vraiment ? »

Non, redevenons sérieux, la vérité est qu'un réalisateur européen ne peut espérer réussir à Hollywood que si ses chances de revenir travailler dans sa patrie sont réduites à néant, par exemple à la suite de circonstances politiques... Il faut que ce soit désespéré, il faut que ce soit vital : *Hollywood or bust*. C'est le moment de rendre hommage au cinéaste devenu le plus récemment « américain », Milos Forman, metteur en scène têtu et puissant, dont le beau film *Hair* va ouvrir le festival de Cannes. Parce qu'il est mon ami depuis quinze ans, je peux affirmer qu'avec ce film, Milos réalise un rêve qui remonte douze ans en arrière, à la création de *Hair* sur scène, en Amérique. Quand Forman tournait *Taking off*, *Le Vol au-dessus d'un nid de coucou*, c'était avec l'espoir au cœur de tourner *Hair* un jour. Alors c'est naturellement en souhaitant bienvenue au festival de Cannes à Milos Forman que je termine ce panorama, partiel et partial, du cinéma américain en 1979.

François Truffaut,
Le Film français,
10 mai 1979

John Travolta, *La Fièvre du samedi soir*.

Le roman de « Jules et Jim »

Entre la littérature et le cinéma, il y a plus qu'un rapport d'adaptation pour le grand lecteur qu'est Truffaut. Il raconte ici la connivence qui le lie à Henri-Pierre Roché, écrivain d'une autre génération, esthète, ami des peintres et des artistes du début de ce siècle. Les Carnets *de Roché donne à lire le matériau vivant dont est directement inspiré son roman* Jules et Jim, *que mettra en scène le réalisateur.*

H enri-Pierre Roché (à droite) et le sculpteur Brancusi à Paris, dans les années 20.

La rencontre d'un écrivain et d'un cinéaste

C'est en 1955 que j'ai découvert le roman d'Henri-Pierre Roché, *Jules et Jim*, parmi d'autres livres d'occasion, à l'éventaire de la librairie Stock, place du Palais-Royal.

Le livre avait paru deux ans plus tôt mais il était passé inaperçu : la critique n'avait été ni bonne ni mauvaise, il n'y avait pratiquement pas eu de comptes rendus, comme cela arrive souvent lorsque le nom de l'auteur est inconnu. Ce qui retint mon attention fut le titre : *Jules et Jim* ! Tout de suite, je fus séduit par la sonorité de ces deux J. Puis, retournant le volume pour lire au dos le « prière d'insérer », je vis que l'auteur, Henri-Pierre Roché, était né en 1879 et que *Jules et Jim* était son premier roman. Mais alors, pensai-je, ce romancier débutant a maintenant soixante-seize ans ! A quoi peut ressembler un premier roman écrit par un septuagénaire ?

Dès les premières lignes, j'eus le coup de foudre pour la prose d'Henri-Pierre Roché. A cette époque, mon écrivain favori était Jean Cocteau pour la rapidité de ses phrases, leur sécheresse apparente et la précision de ses images. Je découvrais, avec Henri-Pierre Roché, un écrivain qui me semblait plus fort que Cocteau car il obtenait le même genre de prose poétique en utilisant un vocabulaire moins étendu, en formant des phrases ultra-courtes faites de mots de tous les jours. A travers le style de Roché l'émotion naît du trou, du vide, de tous les mots refusés, elle naît de l'ellipse même. Plus tard, examinant des pages manuscrites d'Henri-Pierre Roché, je vis que son style, faussement naïf, émergeait de l'énorme pourcentage de mots et de phrases raturés ; d'une page entière, recouverte de sa ronde écriture d'écolier, il ne laissait finalement subsister que sept ou huit phrases, elles-mêmes rayées aux deux tiers. *Jules et Jim* est un roman d'amour en style télégraphique écrit par un poète qui s'efforce de faire oublier sa culture et qui aligne les mots et les pensées comme le ferait un paysan laconique et concret.

Comme on peut le penser, mon enthousiasme pour *Jules et Jim* s'étendit aux personnages et à leurs aventures. Je ne vivais que pour le cinéma et, aux livres, je préférais les films que je voyais au rythme de seize à vingt chaque semaine. Etant critique de cinéma à l'hebdomadaire *Arts-Spectacles* j'avais la chance de vivre ma passion. En lisant *Jules et Jim* j'eus la sensation de me trouver devant un exemple de ce que le cinéma ne parvenait jamais à faire : montrer deux hommes qui aiment la même femme sans que le «public» puisse faire un choix affectif entre ces personnages tant il se trouve amené à les aimer pareillement tous les trois. Voilà l'élément, anti-sélectif, qui me toucha le plus dans cette histoire que l'éditeur présentait ainsi : «Un pur amour à trois». Quelques mois plus tard [...], je reçus cette lettre : «Cher François Truffaut. J'ai été très sensible à vos quelques mots sur *Jules et Jim* dans *Arts*, notamment à : «... grâce à une morale esthétique et neuve sans cesse reconsidérée». J'espère que vous la retrouverez encore plus, dans *Deux Anglaises et le Continent* que vous allez recevoir. Henri-Pierre Roché.»

Je répondis à Henri-Pierre Roché et nous échangeâmes une correspondance assez régulière jusqu'à sa mort, c'est-à-dire pendant trois ans. [...] Dans une de mes premières lettres, je dis à Roché que, si je peux faire du cinéma un jour, j'aimerais tourner *Jules et Jim*. Cette idée lui plaît. Nous décidons que j'établirai, le

moment venu, la construction du scénario et qu'il écrira lui-même les dialogues qu'il prévoit, selon ses propres termes, «aérés et serrés». [...]

Et c'est l'hiver 1958-1959. Je tourne *Les Quatre Cents Coups*. Pour y faire une apparition amicale d'une minute, Jean-Claude Brialy vient, dans une scène de nuit rue du Faubourg-Montmartre, et il me fait la surprise d'amener avec lui Jeanne Moreau que j'ai admirée au théâtre dans *La Chatte sur un toit brûlant.*

Nous improvisons donc une petite scène, rapidement tournée à cause de la pluie et du froid et, enthousiasmé par l'actrice, j'envoie quatre photos d'elle à Henri-Pierre Roché, en lui demandant son avis. Il me répond, le 3 avril 1959 : «Cher jeune ami, votre bonne lettre !... Grand merci pour les photos de Jeanne Moreau. Elle me plaît. Je suis content qu'elle aime Kathe ! J'espère la connaître un jour, oui, venez me voir quand il vous plaira, je vous attends.»

Je reçois cette lettre le 5 avril, quatre jours plus tard Henri-Pierre Roché meurt, tout doucement, assis dans son lit, tandis qu'on lui fait dans l'avant-bras, une banale piqûre quotidienne.

En 1961, je me décidai enfin à tourner *Jules et Jim*. L'écrivain n'était plus là pour écrire ses dialogues «aérés et serrés» mais nous nous efforçâmes, Jean Gruault et moi, de lui rester fidèles et, d'ailleurs, *Jules et Jim* est probablement le seul film de la «nouvelle vague» à comporter un commentaire si abondant; lu en «voix off», il est presque entièrement tiré du livre.

Pendant le tournage et le montage du film il m'arrivait fréquemment de repousser le scénario, de rouvrir mon exemplaire du roman et de noter telle ou telle phrase splendide à «sauver absolument», c'est-à-dire à intégrer à la bande sonore du film.

Le film terminé sortit au début de l'année 1962, précédé par le beau court-métrage *Vies d'insectes* dont Jean-Claude Roché était l'auteur, montrant les accouplements de libellules. Le succès de *Jules et Jim* fut immédiat et je m'en réjouis doublement puisque le roman, neuf ans après sa parution, devenait enfin un best-seller et allait être rapidement traduit en anglais, en espagnol, en italien et en allemand.

Nous reçûmes, Jeanne Moreau et moi, un nombre de lettres considérable et pas seulement de France. Ici ou là, de jeunes mamans donnèrent à leurs nouveau-nés les noms de Jim, de Jules, ou de Catherine. Il me semble, tant pis si je me trompe, que dix-huit ans après ces événements je peux citer la plus importante de ces lettres, celle que je reçus d'une vieille dame qui sous le nom de Kathe avait été la véritable héroïne de *Jules et Jim*, l'objet du long amour commun aux deux amis :

« Assise dans cette salle obscure, appréhendant des ressemblances déguisées, des parallèles plus ou moins irritants, j'ai été très vite emportée, saisie par le pouvoir magique, le vôtre et celui de Jeanne Moreau, de ressusciter ce qui a été vécu aveuglément. Qu'Henri-Pierre Roché ait su raconter notre histoire à nous trois en se tenant très proche de la suite des événements n'a rien de miraculeux. Mais quelle disposition en vous, quelle affinité a pu vous éclairer au point de rendre sensible – malgré des déviations et des compromis inévitables – l'essentiel de nos émotions intimes ? Sur ce plan, je suis votre seul juge authentique puisque les deux autres témoins ne sont plus là pour vous dire leur "oui". » [...]

Les années passaient, mes pensées me ramenaient souvent vers Henri-Pierre Roché et je relisais *Deux Anglaises et le*

Continent au moins une fois par an, pour mon plaisir. L'idée d'en tirer un film ne me venait pas à l'esprit car il ne s'agit pas d'un récit linéaire mais d'une suite d'éléments littéraires présentés comme des documents réels : extraits de journaux intimes, lettres, monologues. A plusieurs endroits, Roché divise les pages en deux colonnes pour confronter le journal intime d'une des deux sœurs et celui du héros, Claude (qui n'est autre, évidemment que l'auteur). Comme pour *Jules et Jim*, ce matériel est autobiographique et Denise Roché m'a confié un jour que la Anne du livre était devenue, plus tard, décoratrice, ou costumière, pour les Ballets Russes de Serge Diaghilev.

Si ce roman est postérieur à *Jules et Jim*, son action lui est antérieure. Claude sort à peine de l'adolescence tandis que Jim était un homme en pleine maturité. Les protagonistes des *Deux Anglaises* étant plus jeunes que ceux de *Jules et Jim*, leur histoire rend un son plus douloureux, plus aigu. Le grand recul dans le temps et dans l'espace qui rend la narration de *Jules et Jim* sage et paisible n'existe pas dans les *Deux Anglaises* dont les amours sont re-vécues sous nos yeux dans un style fiévreux et déchirant. […]

Avec le temps, j'en arrivai à considérer que les *Deux Anglaises* était un livre encore plus grand que *Jules et Jim* mais je persistai à le trouver inadaptable pour la raison que les trois personnages qu'il met en scène ne sont presque jamais réunis et que leurs émotions les plus fortes sont communiquées à distance, à travers leur correspondance. […]

Nous avions le désir de faire un film plus charnel que *Jules et Jim*, un film qui ne montrerait pas l'amour physique mais qui serait «un film physique sur l'amour». […] *Les Deux Anglaises et le Continent* devint un film, assez mal accueilli en France au moment de sa sortie, mais dont la réputation, je crois, est devenue meilleure avec les années. En tout cas j'ai l'impression d'avoir appris beaucoup de choses en le tournant, des choses sur le cinéma mais aussi des choses sur la vie, sur l'amour, sur la violence des sentiments et sur la cruauté des coups que peuvent se porter innocemment les gens qui s'aiment.

Avant-propos de
François Truffaut,
in Henri-Pierre Roché,
Carnets, Les années Jules et Jim,
André Dimanche, Marseille, 1990

Les « Carnets » de Roché

Henri-Pierre Roché tint un journal intime dans lequel il raconte, entre autres, les liens d'amitié qui le liaient à Franz Hessel, poète et écrivain allemand qu'il rencontra en 1906 à Paris. Après la Première Guerre, il retrouve son ami, mariée à Helen, aimée et admirée par les deux amis.

Helen n'est plus le petit Lucas – elle est embellie, aggravée, une force est en elle – ce m'est une émotion de la revoir, de la regarder, tous ces jours-ci nous ne nous regardons guère face à face, elle est un peu gênée avec moi, et moi avec elle – moi parce que je pourrais l'aimer, et parce que ce n'est pas évident que je le doive – je ne l'aimerai que si je ne peux pas faire autrement – pour l'instant elle est toute mère – la façon dont elle baigne et roule ses enfants est magnifique – elle dit qu'elle n'a pas de mémoire et elle pourrait les oublier, si elle partait en Afrique ou en Amérique.

Le plus beau de ces jours-ci c'est la retrouvaille avec Franz – il vient chaque matin chercher le courrier et des choses à la poste – épicerie où je demeure, à 8 heures 1/2, et monte dans ma chambre – et nous causons grand talk jusqu'à 10 heures – alors, chez lui, dans la jolie maison, dans le coin de la salle à manger en bois, nous prenons le Frühstück, seuls, les autres ayant déjà fini – pipes – après cela travail lecture dans sa chambre, ou bon bain de soleil, nus, avec parfois kimono, dans le jardin, sur l'herbe, entre les bouquets de sapins – les enfants autour de nous – déjeuner, de 1 à 2 heures puis encore travail lecture dans la chambre de Franz – il me lit ses poèmes sur Paris, plusieurs des nouvelles qui vont composer son nouveau livre – il me parle de Sternheim – et le matin du jour où je dois rencontrer ce dernier à Munich, lui et Helen infatigables me lisent et traduisent les trois actes de 1913.

Franz me parle longuement d'Helen et d'eux deux – il est heureux, en somme, en beauté, avec son esprit clair et son jugement calme, qui plane au-dessus de la vie, désintéressé – pendant la guerre, elle a eu quelques aventures, qu'elle lui a racontées en partie – maintenant elle se consacre furieusement à Uli, pour améliorer sa jambe malade, massages, exercices – mais elle est là depuis quatre mois, après huit mois d'absence pendant lesquels elle a travaillé l'agriculture, de ses propres mains, près de Posen – et il

est visible qu'il lui faut un fort travail, que ce demi-loisir lui pèse – et qu'elle refera une chose active. – Je suis en attente et en réserve devant elle, je n'ose pas la regarder trop en face, je crains que de l'amour ne s'éveille dans mes yeux sous son regard.

Nous allons faire le tour de la mare dans la prairie derrière la maison au soleil couchant – je songe à Pontaubert et St. Robert.

Lundi 12

Grande nuit chaste, dans les bras. – Avant midi, la douche : Helen d'abord, Kadi la regarde et l'aide. Puis moi, Helen me regarde. – Le jet froid surprend puis fait plaisir. – Helen, belle, n'est plus U, mais Kadi est là. – Quand je monte cinq minutes plus tard, elle est vêtue d'une courte peau de bête, légère, qui laisse les bras et les épaules nues, qui s'arrête au-dessus de son poil – elle est ceinte de notre corde – sa chevelure tombe – elle est comme une princesse sauvage. – Elle se met sur les genoux de Franz, et lui donne un baiser qui n'en finit pas. Je les laisse un moment et les retrouve ainsi. J'ai joie pour Franz, je surmonte le petit malaise que je ressens. – Elle vient dans la grande chambre radieuse. – Je la prends, je la pose sur le divan, je verrouille la porte, je lui fais la grande caresse, délicieuse. Elle gémit, superbe. J'entre en elle, toujours vêtue de fourrure. Je suis sur le point de lui donner notre enfant. « Non, dit-elle doucement, il ressemblerait encore à Franz ! » Alors j'attends en elle, quelques minutes à l'aimer, et puis je dis : « Et maintenant ? » Sa tête fait oui. Simplement, je me déverse en elle, nos regards mêlés.

Tout de suite, elle a une crise de sommeil. Je l'étends, la couve, sur notre lit. Peut-être le Fils s'accomplit cette fois ? Tendresse, gaieté, rayonnement. – Après lunch, elle s'étend de nouveau. Ses douces cernures me provoquent. Verrou tiré, encore en elle, palpitation, entre la vie et la mort, son ventre boit doucement. Nous dormons enlacés. Franz tape à la machine à côté de nous son film *Der Fischer und sine Fru*. – Nos fronts rayonnent de fraîcheur, nos yeux sont grands et calmes. – Les arbres, devant la fenêtre, sont secoués par le vent, ensoleillés. – Nous allons vite, Helen et moi jusqu'à notre petit bois ensorcelé, au soleil couchant. Nous retrouvons le grand hêtre qui a deux belles cuisses lisses et un sexe de femme

moussu, je mets mon doigt dedans. –
C'est très doux. Je hisse Helen pour
qu'elle fasse de même. – C'est sous cet
arbre que nous voulions faire notre fils.
Là, il y a quatre mois nous avons vu les
gros lièvres. – Nous rentrons vite : Helen
veut nous lire sa comédie qu'elle a
achevé de taper. Elle le fait. Elle l'a
améliorée : chances de succès. Franz et
moi nous en sommes sûrs. – Helen est
contente.

Grande nuit nue (la première depuis
cinq jours) enlacée, sage. – Réveillés
chaque matin, pour une minute, par le
soleil rouge quand il saute de l'horizon. –
A 9 heures Franz nous réveille pour le
breakfast.

Henri-Pierre Roché,
Carnets, Les années Jules et Jim,
première partie 1920-1921,
André Dimanche, Marseille, 1990

Le roman de Roché

*Helen est devenue Kathe sous la plume
du romancier Roché ; Franz et Henri-
Pierre, Jules et Jim.*

1914 : guerre. 1920 : le chalet

La seconde semaine commença.

Tout dans la maison était dirigé, de
haut, par Kathe. Elle avait une
gouvernante, jeune et accomplie,
Mathilde, qui était son amie heureuse.
Kathe menait, mieux que Jules, les
affaires avec les éditeurs. Les besognes
de Jules étaient définies : il écrivait ses
livres, il allait chercher le lait, des
provisions, le courrier à la poste, avec
ponctualité et bonne humeur. La guerre
avait beaucoup diminué leurs ressources.

Kathe faisait de tout une fête : le tub
du soir des fillettes devenait une
comédie-ballet variée et quotidienne,
avec Jules et Jim comme spectateurs.

Chacun des simples repas était une joie.
« La vie doit être de continuelles
vacances », disait Kathe, et elle la rendait
telle autour d'elle, pour les grands
comme pour les petits, et le travail était
bien fait quand même.

Elle avait le culte de son propre
sommeil et elle dormait aussi longtemps
qu'elle en avait besoin, à des heures
irrégulières, dont le reste de la maison ne
s'occupait pas.

Quand tout allait trop bien, quand on
s'y habituait trop, il lui arrivait d'être
mécontente. Elle changeait d'allure, elle
mettait des bottes, empoignait un stick,
comme un dompteur, et cravachait tout
en gestes et en paroles.

Elle professait que le Monde est riche,
que l'on peut parfois tricher un brin, et
elle en demandait d'avance pardon au
bon Dieu, sûre de l'obtenir. Lisbeth
exprimait avec calme un petit doute à ce
sujet.

Jim avait certains jours envie de
protéger le Monde contre Kathe (comme
contre Odile, et jamais contre Lucie).
C'était une manie chez lui, il avait eu
envie de la protéger elle-même contre
Jules avant leur mariage, et pendant le
déjeuner au plongeon. Elle était
d'habitude douce et généreuse, mais si
elle s'imaginait que l'on ne l'appréciait
pas suffisamment, elle devenait terrible.
Elle passait d'un extrême à l'autre, avec
des attaques brusquées.

Jules la désirait toujours. Il enfouissait
ce désir. Il la comprenait maintenant
qu'il l'avait perdue. Quand elle était
torturante et torturée par son démon
intérieur, il la plaignait. Il la considérait
comme une force de la nature
s'exprimant par des cataclysmes.

Une menace planait sur la maison.

Pendant la deuxième semaine Jim
commença à savoir. Il y avait danger que
Kathe partît. Elle l'avait déjà fait une

fois, une demi-année, et il fut douteux qu'elle revînt. Elle n'était de retour que depuis peu de mois. Elle était de nouveau sous pression, Jules la sentait prête à quelque chose, et il tendait le dos, comme sous les corbeaux. Oui, il n'avait plus une vraie femme, et il avait peine à le supporter. Mais elle n'avait pas en lui l'homme qu'il lui fallait, et elle n'était pas femme à le supporter. Il avait l'habitude qu'elle lui fût parfois infidèle, mais pas encore qu'elle le quittât.

Le «quelque chose» prit corps, et un corps déplaisant pour Jim. Albert, l'époux de la Grèce, le premier amoureux du sourire archaïque, était en vacances et convalescent dans un village voisin. Kathe avait été provocante avec lui, par jeu au début, disait-elle – mais tout n'était-il pas jeu pour elle ? – Il retrouvait, vivante, sa statue de l'île. Kathe l'avait encouragé, lui avait donné de l'espoir. C'était un homme entier. Il s'était ouvert à Jules. Il voulait épouser Kathe, divorcée de Jules, et prendre aussi les filles.

Ainsi Kathe était là, reine radieuse du foyer, mais prête à s'envoler.

Jim pensa : « Il ne faut pas. »

Jules précisa : Kathe avait eu, à sa connaissance, trois amants depuis leurs fiançailles. Un la veille de leur mariage, un sportman, une ancienne affaire, un adieu à sa vie de garçonne, et une rapide vengeance de Kathe contre quelque chose que lui, Jules, avait fait et qu'il ignorait.

Trois ans plus tard, à la fin de la guerre, elle avait eu une liaison, sous les yeux de Jules, avec un jeune ami à lui, grand, blond, aristocrate, cultivé, que Jim avait connu adolescent à Paris, et fort apprécié. « Ce n'était pas un mauvais choix, pensa Jim, et ils devaient avoir eu du bon temps. »

Kathe avait déclaré que ce n'était « pas important ».

Enfin, pendant sa récente et longue absence, elle avait conquis un hobereau, maître absolu dans ses domaines. Puis elle était revenue un beau jour, heureuse jusqu'aux larmes de retrouver son foyer, qu'elle s'était mise à organiser avec poigne et amour. Et voilà.

Jules avait appris tout cela d'elle-même, graduellement, par bribes distribuées avec art, et laissant à imaginer. Maintenant il y avait la menace Albert.

Jim comprit que Kathe accordait encore à Jules des faveurs partielles. Mais elle dérivait de plus en plus vers ailleurs. Jules renonçait peu à peu à elle, à ce qu'il avait attendu sur terre. De là l'impression *moine* qu'il donnait. Il n'en voulait pas à Kathe.

Jim se demanda si Kathe avait épousé Jules pour son argent. Mais non, il en était sûr : pour son esprit, sa fantaisie, son bouddhisme. Seulement il fallait à Kathe, en plus de lui, un mâle de son espèce à elle.

Elle faisait peut-être (Jim était loin d'en être certain) ce qu'il fallait pour séduire Jim. C'était insaisissable. Elle ne dévoilait ses buts qu'en les atteignant. Jim et Jules l'avaient surnommée « Napoléon » et ils firent sur ce thème des poèmes que récitaient les fillettes.

Un matin, Jim allait au village. Kathe tira une petite épingle bronzée de ses cheveux et la lui remit, en le priant de lui en acheter de pareilles. Chemin faisant, Jim s'aperçut qu'il portait l'épingle entre ses lèvres.

Kathe sentit que Jules et Jim avaient parlé d'elle. Elle dit qu'elle aussi voulait parler seule avec Jim et elle lui proposa, devant Jules, une promenade à travers les bois.

Ils marchèrent d'abord en silence sur des sentiers éclairés par la lune.

– Que voulez-vous savoir ? dit-elle.

– Rien, dit Jim. Je veux vous écouter.

– Pour me juger ?

– Dieu m'en garde !

– Je ne veux rien vous dire. Je veux vous questionner,

– Soit.

– Ma question sera : Racontez, vous, Jim.

– Bien, mais quoi ?

– Peu importe. Racontez, comme vous dites : *droit devant vous.*

Jim commença : « Il était une fois... deux jeunes gens... » et il décrivit, sans les nommer, Jules et lui-même, leur amitié, leur vie à Paris avant l'arrivée d'une certaine jeune fille, sa survenue, comment elle leur apparut et ce qui s'ensuivit, le : *pas celle-là, Jim !* (là Jim ne put s'empêcher de dire son propre nom) et ses conséquences, leurs sorties à trois. Kathe put voir que Jim se rappelait ce qui la concernait comme s'il y était encore. Elle discuta quelques détails pour le principe, et en ajouta d'autres.

Jim décrivit leur rendez-vous manqué au café.

– Quel dommage ! dit-elle.

– Quel dommage ! dit-il.

Et il raconta eux trois, vus par lui... Il dit les trésors cachés en Jules.

– Oui, dit-elle.

Comment il avait pressenti dès le début que Jules ne pourrait pas garder Kathe.

– M'auriez-vous dit tout cela au café ?

– Oui.

– Continuez.

Il raconta la guerre, comment il avait retrouvé Jules, son aspect résigné, l'apparition de Kathe entre ses filles au portillon, les quinze jours de bonheur qu'il venait de passer parmi eux, ce qu'il avait vu, soupçonné, le peu qu'il savait de la vie de Kathe, la présence d'Albert, et son offre de mariage.

– Etes-vous avec Jules contre moi ?

– Pas plus que lui-même.

Jim avait parlé près d'une heure. Il n'avait même pas caché son bref soupçon de mariage d'argent. Il se tut.

– Je vais reprendre toute l'histoire comme je l'ai vécue, moi, Kathe.

Elle se mit à raconter, de son angle à elle, d'une façon plus fouillée que Jim, et avec une mémoire plus parfaite, *Kathe et Jules.*

Oui c'était la générosité, l'innocence, la non-défense de Jules qui l'avaient éblouie et conquise : un tel contraste avec les autres hommes ! Elle pensait le guérir, par la joie, des crises où il perdait pied, mais elles se révélèrent une partie de lui-même. Le bonheur (car ils furent heureux) ne les emporta pas. Et ils se retrouvèrent, face à face, non mêlés.

La famille de Jules fut pour Kathe un calvaire. La veille du mariage, lors d'une réception, la mère de Jules commit un impair, qui blessa Kathe à fond. Jules s'y associa par sa passivité. Kathe punit et liquida cela en reprenant à l'instant pour quelques heures un ancien amant, Harold – oui, amant. Ainsi put-elle se marier avec Jules *quittes*, en recommençant à zéro. Elle n'avait pas caché à Jules ses liaisons passées.

Le voyage de noces autour de la France, avec Jules et sa mère, fut une série de situations impossibles. Jules subissait l'influence de sa mère, qui leur offrait ce voyage, bêtement somptueux. Kathe se mordait les poings de s'être alliée à cette race. Elle se jugea outragée. Crime de *lèse-majesté*, disait Jules.

La vie qui suivit, au bord du petit lac, en Prusse, à distance de la famille, eut des lumières et des ombres. Il y eut l'attente du premier enfant. Jules avait envoyé une photo de Kathe à ce moment, avec une face de lionne courroucée. La naissance de la fille dont Jim devait être le parrain fut difficile, parce que ses parents n'étaient pas en état de grâce.

La guerre éclata : départ de Jules vers l'Est. Il avait le temps de lui écrire. De loin elle l'aima davantage et lui refit une auréole. Le dernier malentendu, la vraie rupture dataient de la permission qu'il eut après deux ans de guerre : elle se sentit entre les bras d'un étranger. Il repartit. La deuxième fillette naquit, facilement.

– Elle ne ressemble pas à Jules, dit Jim.

– Croyez ce que vous voulez, dit Kathe. Elle est encore de lui… Mais je le lui ai dit : « Je t'ai donné deux filles. C'est assez pour moi. Ce chapitre est clos. Faisons chambre à part et je reprends ma liberté. »

Henri-Pierre Roché,
Jules et Jim,
Gallimard, Paris, 1953

Le scénario de Truffaut et Gruault

Chambre de Jules
Les deux hommes entrent dans la chambre-bureau de Jules. (Plan rapproché sur eux.)
JULES. Comment trouvez-vous Catherine ?
JIM. Il me semble que le mariage et la maternité lui ont réussi. Je la trouve un peu moins cigale…, un peu plus fourmi…

Ils vont s'asseoir.
JULES. Méfiez-vous. Elle fait régner l'ordre et l'harmonie dans notre maison, c'est vrai… Mais quand tout va trop bien, il lui arrive d'être mécontente ; elle change d'allure et cravache tout en gestes et en paroles.
JIM. Je l'ai toujours pensé : c'est aussi Napoléon.
JULES. Elle professe que le monde est riche, que l'on peut parfois tricher un peu, et elle en demande à l'avance pardon au bon Dieu, sûre de l'obtenir. *(Jules se lève)*. Jim, j'ai peur qu'elle nous quitte.
JIM, *étonné ; en gros plan*. C'est impossible !
Gros plan sur Jules qui se rassied.
JULES. Non, non… Elle l'a déjà fait. Pendant six mois. J'ai cru qu'elle ne reviendrait pas. Je la sens de nouveau prête à partir. Vous savez, Jim…, elle n'est plus tout à fait ma femme. Elle a eu des amants. Trois à ma connaissance. Un, la veille de notre mariage…, un adieu à sa vie de garçon !… et une vengeance contre quelque chose que j'ai fait, et que j'ignore. *(Travelling arrière pour les recadrer ensemble.)* Je ne suis pas l'homme qu'il lui faut et elle n'est pas femme à le supporter. De mon côté, j'ai maintenant l'habitude qu'elle me soit parfois infidèle…, mais je ne supporterai pas qu'elle s'en aille.
Jules se lève à nouveau et se dirige vers la fenêtre.
Jim, stupéfait et gêné par ce qu'il vient d'entendre, le suit comme un automate.
JULES. Or, il y a Albert…
JIM. Ah oui ! le chanteur qui avait découvert la statue ?
JULES. Justement, souvenez-vous : c'est lui qui nous l'a fait connaître.

François Truffaut,
Jules et Jim,
Avant-Scène, 1962 / Seuil, 1971

Truffaut-Jekyll et Truffaut-Hyde

Un des penseurs les plus percutants du cinéma et du rôle de l'image dans notre société de spectacle, Serge Daney fut successivement rédacteur en chef des Cahiers du cinéma *et éditorialiste à* Libération. *L'analyse synthétique qu'il propose ici du cinéma d'un Truffaut « stevensonien » est l'une des chroniques écrites pour ce quotidien au moment de la sortie de* La Femme d'à côté.

S erge Daney (1981).

«Précautionneux et "vieux jeu", Truffaut ? Oui, mais sans filet et à tombeau ouvert. Résultat : un beau film»

Ce n'est plus tellement un secret. On peut donc le dire : il y a deux Truffaut. Deux auteurs pour une œuvre double. Un Truffaut-Jekyll et un Truffaut-Hyde qui, depuis plus de vingt ans, font mine de s'ignorer. L'un respectable et l'autre louche, l'un rangé et l'autre dérangeant. Tôt ou tard, ils devaient se rencontrer, se partager un film comme on se partage un territoire. Avec *La Femme d'à côté*, c'est fait. C'est une date, c'est aussi un très bon film, l'un des meilleurs de la maison Truffaut and Co. Je m'explique.

Le Truffaut-Jekyll plaît aux familles. Il les rassure. Il y a toute une série de films signés François Truffaut qui ne sont rien d'autre que la tentative, plus ou moins réussie, de reconstruire des familles. Etrange projet, bien loin du «famille, je vous hais» que l'on avait cru (à tort) entendre dans son premier film (*Les Quatre Cents Coups*). La façon dont Truffaut-Jekyll procède est toujours la même : il pratique la chimie des affinités et des incompatibilités et à partir d'un élément isolé (par exemple un enfant perdu ou trouvé), il essaie de voir dans quel ensemble on peut l'intégrer, combien de personnages on peut ainsi additionner (un plus un plus un…), jusqu'à ce qu'il y ait saturation. Ces ensembles s'appellent la Famille (adoptive), la Culture, la Société, le Cinéma (Truffaut est un héritier des grands cinéastes du passé).

Le ménage à trois (de *Jules et Jim* au *Dernier Métro*) est un des cas de figure possible. Mais savoir si un enfant «sauvage» peut être repris dans la famille *homo sapiens*, sous la férule émue du Professeur Truffaut-Itard, est un autre cas de figure (*L'Enfant sauvage*). Cette chimie édifiante culmine dans *La Nuit américaine* où le tournage d'un film est prétexte à montrer «la grande famille du cinéma» et dans *Le Dernier Métro* où, cette fois, la famille est une troupe théâtrale en France occupée, avec le branchement astucieux d'un auteur juif à la cave, d'une actrice blonde sur scène et d'un jeune premier amoureux et résistant à la ville.

Tous ces petits mondes sont, si l'on veut, la partie Renoir de l'iceberg Truffaut, mais sans le mélange de cruauté et de bienveillance bourrue propre à Renoir. Il y a aussi l'idée d'un théâtre social d'où toute pulsion trop violente doit être gommée, l'idée d'une réconciliation de tous avec tous, un œcuménisme assez craintif.

Le Truffaut-Hyde est tout le contraire. Asocial, solitaire, passionné à froid, fétichiste. Il a tout pour faire peur aux familles car il les ignore absolument, occupé qu'il est à vivre des passions exclusives et privées. Il y a ainsi toute une série de films signés François Truffaut centrés sur des couples bizarres et stériles, dégageant un fort parfum de cadavre ou d'encens. Des couples composés d'un homme et d'une effigie : femme vivante ou morte, image de femme, défilé de femme, cuisse de femme. Les films de cette série furent toujours des semi-échecs commerciaux et la maison Truffaut and Co, soucieuse de son image de marque, fit en sorte que la branche Hyde ne sorte pas trop souvent, sinon en rasant les murs. *La Peau douce*, *L'homme qui aimait les femmes*, *La Chambre verte*, appartiennent à cette série. Fantasmes de collectionneur : *L'homme qui aimait les femmes* (et qui en meurt) est un beau film sur la solitude de l'homme qui ne change pas auprès des femmes, qui, à ses côtés, se

succèdent. Car ce n'est pas telle ou telle femme qui compte, mais la *place*, toujours la même, qu'elles occupent tour à tour. [...]

Truffaut-Hyde et Truffaut-Jekyll se rencontrent dans *La Femme d'à côté*. Le scénario, *a priori*, n'a rien d'exaltant. Les personnages sont des cadres moyens des environs de Grenoble. Ils sont fades, leur monde est petit (le monde de Truffaut est petit) : ils travaillent tous dans la miniature. Depardieu s'occupe de maquettes de bateaux, Garcin est aiguilleur du ciel (d'où il est, il voit les avions comme des modèles réduits), Michèle Baumgartner est femme au foyer et lorsqu'elle décide de retravailler, Fanny Ardant se lance dans un livre pour enfants. Ils sont désespérément moyens, comme des héros de faits divers. [...]

La Femme d'à côté est-il le film où Hyde prend sa revanche sur Jekyll ? Pas exactement. Ce n'est pas non plus un hymne libertaire à l'amour fou, même si on y entend l'écho de cette scène célèbre de *L'Age d'or* où un couple fait bruyamment l'amour au milieu d'une réception mondaine. Mais ce qui est un gag léger chez Buñuel représente pour Truffaut un horizon lointain. L'adultère, pour lui, n'est pas un sujet frivole, plutôt du travail supplémentaire. Non, si *La Femme d'à côté* est un film si réussi et, finalement, si émouvant, c'est parce que Truffaut, ennemi de l'exhibitionnisme des passions et des idées, homme du juste milieu et du compromis, essaie cette fois de filmer le compromis lui-même, d'en faire la matière, la forme même de son film. [...]

Dans *La Femme d'à côté*, l'art de la mise en scène est devenu assez ample et assez libre pour loger dans le même souffle Hyde et Jekyll.

Serge Daney, in *Libération*, 30 septembre 1981

Sur le vif

«Truffaut crée un climat pendant le tournage. Avec lui, pas d'histoires, pas de cris, tous les membres de l'équipe forment une famille. Le travail en coopération se fait en douceur, à un bon rythme» (Nestor Almendros). *Certains des membres de la «famille» truffaldienne, qui dépasse le cadre du tournage, livrent ici quelques souvenirs sur leur «père».*

Godard, complice de la Nouvelle Vague

Truffaut était un grand critique, le dernier d'une longue lignée qui va de Diderot et Baudelaire à Malraux et Bazin. Il avait besoin de se sentir respecté. S'il avait vécu plus longtemps, il aurait été élu à l'Académie française, comme René Clair. C'était un gosse pauvre sorti de la rue – pas de père, une mère passant d'un homme à l'autre – et il a fait de la prison. Il était un peu comme Jean Genet. Moi, j'ai eu une enfance pleine de succès, au milieu de tantes, d'oncles, de parents… Je n'ai donc pas eu besoin du succès plus tard.

Jean-Luc Godard, Musée d'art moderne, New York, 7 mai 1994

Gilles Jacob est aujourd'hui délégué général du festival de Cannes

On n'écrit plus de nos jours. On téléphone, on télexe, on «faxe». Au mot «épistolier», le Petit Robert accole l'abréviation «vx» (vieux), signe que le mot n'est plus employé. La fonction non plus. Truffaut, qui a écrit des centaines

Cannes, 1968 : Claude Lelouch, Jean-Luc Godard, François Truffaut, Louis Malle, Roman Polanski.

de lettres, est peut-être le dernier des épistoliers. [...]

Mais aussi il lisait. Des romans, la presse, les périodiques spécialisés, des livres sur le cinéma, des biographies de stars, bien souvent en anglais, qu'il déchiffrait lentement, avec application. Il lisait parce qu'il avait gardé cet amour des livres qui l'avait sauvé, comme il l'écrit lui-même, «de devenir un voyou de Pigalle». Un amour d'abord tactile, sensuel. Le goût de l'écrit, des mots, à commencer par leur apparence. L'autodafé de *Fahrenheit* avec le feu qui tord les pages [...] montrent à quel point il était sensible à la réalité physique des livres. «Si je n'avais pas été metteur en scène, j'aurais été éditeur...» : cet amour du texte, on le retrouve jusque dans l'écriture, cette grande écriture souple, ronde, aux lettres bien calligraphiées, aussi belle que celle d'un Cocteau.

Gilles Jacob, préface à la *Correspondance* de Truffaut, Hatier/5 continents, 1988

Claude Miller, assistant de Truffaut, réalisateur de «La Petite Voleuse» (1988), sur un scénario de Truffaut

Tout le monde sait que François était un critique particulièrement péremptoire ; en se mettant à faire des films, il était tout sauf péremptoire. Confronté aux vrais problèmes d'un metteur en scène, beaucoup de ses certitudes ont dû s'effriter ou être mises en doute. Il parlait peu de cinéma, ou bien seulement des choses qu'il aimait.

Claude Miller, 1992

Pierre-William Glenn, réalisateur, fut chef-opérateur de «La Nuit américaine», «L'Argent de poche» et «Une Belle Fille comme moi»

Truffaut occupait une position unique dans le cinéma français – à mi-chemin entre le cinéma classique (celui de Sautet) et l'avant-garde (le cinéma de Godard ou Garrel) – et il n'a pas été remplacé. Il participait du courant général, tout en restant sur la rive. Ainsi, il pouvait tourner aussi bien *Les Deux Anglaises* que *Le Dernier Métro*. «Je peux me permettre d'essuyer trois échecs pour un succès» disait-il, car à la différence de bien du monde aujourd'hui, il vivait pour le cinéma et non du cinéma. Il faisait des films pour son plaisir. Cette façon de faire tend à disparaître de nos jours, en France. Cependant, Truffaut n'était pas un gentil petit français, loin de là. Il pouvait au contraire se montrer très violent dans ses émotions. Il a d'ailleurs été un critique passionné, virulent dans ses convictions. Mon film *23 heures 58* doit beaucoup à *La Nuit américaine* – même inspiration fondée sur des anecdotes véridiques, même unité d'action donnée par le décor général – le tournage d'un film ou le circuit des 24 heures du Mans. Je crois que François aurait bien aimé mon héros, Steve, le commissaire de police.

Pierre-William Glenn, 1996

Bob Swain, réalisateur de «La Balance» (1982), évoque son amitié avec Truffaut

Truffaut et moi, nous étions de très proches amis et son impact sur ma vie fut considérable. *Les 400 Coups* est le premier film «européen» que je vis. Et mon premier film, *Le Journal de Monsieur Bonnafous*, fut réalisé avec les chutes de *Baisers volés*. Mon premier travail de professionnel dans le cinéma fut une journée de figuration pour un film de Truffaut. Un jour, après avoir entendu dire par notre amie commune Helen Scott que j'étais déprimé et découragé, il m'a immédiatement écrit une lettre pleine d'encouragements.

Bob Swain, 1994

Hommage à Truffaut à Cannes, en 1985 : en haut, de gauche à droite : Sylvie Grézel, Chantal Mercier, Dani, Jacqueline Bisset, Nelly Benedetti, Alexandra Stewart, Catherine Deneuve, Bernadette Lafont, Claire Maurier, Delphine Seyrig, Brigitte Fossey, Claude Jade. En bas : Jean-Pierre Cargol, Jeanne Moreau, Fanny Ardant, Charles Denner, Marcel Berbert, Henri Serre, Serge Rousseau, Marie Dubois, Gérard Depardieu, Charles Aznavour, Jean-Claude Brialy, Jean-Pierre Léaud, Jean-Pierre Aumont, Henri Garcin.

François répond à Bob

Mon cher Bob,

Devant un récepteur de télévision, je me suis réjoui de votre succès si mérité. C'est à Hyères au moment de Noël que j'ai vu votre très bon film au milieu d'une salle pleine qui ne boudait pas son plaisir. Il y a un point commun entre un succès et un échec, c'est que, très vite, on a envie de passer à l'exercice suivant, c'est pourquoi je vous souhaite bon courage et bonne chance,
très cordialement

François Truffaut

Peu après la mort de Truffaut, l'actrice et amie du réalisateur, Jeanne Moreau, évoque leur rencontre dans la revue « Vogue »

La première fois que je t'ai vu – tu t'approchais de loin – une toute petite silhouette qui s'avançait vers moi, descendant le long du couloir du Palais des Festivals à Cannes. Un critique de cinéma redoutable, me chuchota Louis Malle à l'oreille. Nous sortions à peine d'une projection de *Ascenseur pour l'échafaud*.

Impressionnée par ta timidité, je me suis quand même permis de remarquer que tu te rongeais les ongles, que tu avais un grand front et que tu avais des yeux marrons farouches. J'ai immédiatement compris ton importance et nous avons échangé nos numéros de téléphone.

Ainsi commença le roman de notre amitié.

Jeanne Moreau,
Vogue, 1985

FILMOGRAPHIE

Les numéros de pages en romain renvoient au texte, les numéros en italique renvoient aux légendes.

Abréviations : DP = directeur de la production; Int = interprétation; M = musique; P = producteur; PE = producteur exécutif; Ph = directeur de la photographie; S = scénario.

Une visite (1955)

S : François Truffaut. Ph : Jacques Rivette. DP : Robert Lachenay. Int : Florence Doniol-Valcroze, Jean-José Richer, Laura Mauri, Francis Cognany.
p. 14.

Les Mistons (1957)

S : François Truffaut, d'après une nouvelle de Maurice Pons, extraite du recueil *Virginales* (Julliard). Ph : Jean Malige. M : Maurice Le Roux. Prod. : Les Films du Carrosse. DP : Robert Lachenay. Int : Gérard Blain, Bernadette Lafont et «Les Mistons».
pp. 14, *14*, 36, 73, 77.

Une histoire d'eau (1958)

Coréalisation : Jean-Luc Godard. Ph : Michel Latouche. Prod. : Les Films de la Pléiade. P : Pierre Braunberger. Int : Jean-Claude Brialy, Caroline Dim.

Les Quatre Cents Coups (1959)

S : François Truffaut. Ph : Henri Decae (Dyaliscope). M : Jean Constantin. Prod. : Les Films du Carrosse. DP : Georges Charlot. Int : Jean-Pierre Léaud (Antoine Doinel), Albert Rémy (le beau-père), Claire Maurin (la mère), Patrick Auffay (René Bigey), Georges Flamant (M. Bigey), Jeanne Moreau (la jeune femme au chien).
pp. *13*, 15, 16, *16*, 18, *18*, *19*, *21*, 22, 23, 43, 44, 46, *51*, *57*, 68, 76, 77, 86, 90, 96, 97, 110, 119, 128.

Tirez sur le pianiste (1960)

S : François Truffaut et Marcel Moussy, d'après le roman de David Goodis (Gallimard). Ph : Raoul Coutard (Dialyscope). M : Georges Delerue. Prod. : Les Films de la Pléiade. P : Pierre Braunberger. DP : Roger Fleytoux. Int : Charles Aznavour (Charlie Kohler), Marie Dubois (Léna), Nicole Berger (Thérésa), Albert Rémy (Chico), Daniel Boulanger (Ernest), Claude Mansard (Momo), Michèle Mercier (Clarisse).
pp. 22, *23*, 25, *41*, 88.

Jules et Jim (1961)

S : François Truffaut et Jean Gruault, d'après le roman d'Henri-Pierre Roché (Gallimard). Ph : Raoul Coutard (Franscope). M : Georges Delerue. Prod. : Les Films du Carrosse. PE : Marcel Berbert. Int : Jeanne Moreau (Catherine), Oskar Werner (Jules), Henri Serre (Jim), Marie Dubois (Thérèse), Vanna Urbino (Gilberte), Boris Bassiak (Albert), Sabine Haudepin (Sabine).
pp. *14*, 24, *24*, 25, 27, *27*, 36, *57*, *91*, 104, 118-127, 128.

Antoine et Colette (1962)

S : François Truffaut. Ph : Raoul Coutard (Cinémascope). M : Georges Delerue. Prod. : Ulysse Production. DP : Philippe Dussart. Producteur délégué : Pierre Roustang. Int : Jean-Pierre Léaud (Antoine Doinel), Marie-France Pisier (Colette), Patrick Auffay (René), François Darbon (le beau-père de Colette), Rosy Varte (la mère de colette), Jean-François Adam (Albert Tazzi).
pp. 44, *44*, 96, 97.

La Peau douce (1964)

S : François Truffaut et Jean-Louis Richard. Ph : Raoul Coutard (1,66). M : Georges Delerue. Prod. : Les Films du Carrosse. DP : Georges Charlot. PE : Marcel Berbert. Int : Jean Desailly (Pierre Lachenay), Françoise Dorléac (Nicole), Nelly Benedetti (Franca), Daniel Ceccaldi (Clément), Sabine Haudepin (Sabine).
pp. *15*, 30, *30*, *32*, 33, 51, *51*, 129.

Fahrenheit 451 (1966)

S : François Truffaut et Jean-Louis Richard, d'après le roman de Ray Bradbury (Denoël). Ph : Nicolas Roeg (Technicolor; 1,66). M : Bernard Herrmann. Prod. : Anglo Enterprise, Vineyard Films. P : Lewis Allen. DP : Ian Lewis. Int : Oskar Werner (Montag), Julie Christie (Linda Montag et Clarisse), Cyril Cusack (le capitaine), Anton Driffing (Fabian), Bee Duffell (la femme livre).
pp. 30, 33, *33*, 34, *35*, 36, 41, 76, 102.

La mariée était en noir (1967)

S : François Truffaut et Jean-Louis Richard, d'après le roman de William Irish (Presses de la Cité). Ph : Raoul Coutard (Eastmancolor; 1,66). M : Bernard Herrmann. Prod. : Les Films du Carrosse, Les Artistes Associés, Dino de Laurentiis Cinematografica. DP : Georges Charlot. Int : Jeanne Moreau (Julie Kohler), Claude Rich (Bliss), Jean-Claude Brialy (Corey), Michel Bouquet (Coral), Michel Lonsdale (Morane), Charles Denner (Fergus), Daniel Boulanger (Delvaux).
pp. 30, 36, *36*, *37*, *38*, 39, 40, *41*, 45, 88, 91.

Baisers volés (1968)

S : François Truffaut, Claude de Givray, Bernard Revon. Ph : Denys Clerval (Eastmancolor; 1,66). M : Antoine Duhamel. Prod. : Les Films du Carrosse, Les Artistes Associés. DP : Claude Miller. Int : Jean-Pierre Léaud (Antoine Doinel), Delphine Seyrig (Fabienne Tabard), Claude Jade (Christine), Michel Lonsdale (M. Tabard), Daniel Ceccaldi (M. Darbon).
pp. *15*, 44, *45*, 46, *46*, 47, *47*, *51*, *60*, 96, 111.

La Sirène du Mississippi (1969)

S : François Truffaut, d'après le roman de William Irish (Gallimard). Ph : Denys Clerval (Dialyscope; Eastmancolor). M : Antoine Duhamel. Prod. : Les Films du Carrosse, Les Artistes Associés, Produzioni Associate Delphos. DP : Claude Miller. Int : Jean-Paul Belmondo (Louis Mahé), Catherine Deneuve (Marion), Michel Bouquet (Comolli), Nelly Borgeaud (Berthe Roussel), Marcel Berbert (Jardine).
pp. *15*, 30, 39, *39*, 40, *40*, 41, *41*.

L'Enfant sauvage (1969)

S : François Truffaut et Jean Gruault, d'après *Mémoire et rapport sur Victor de l'Aveyron* par Jean Itard (1806). Ph : Nestor Almendros. Prod. : Les Films du Carrosse, Les Artistes Associés. DP : Claude Miller. PE : Marcel Berbert. Int : Jean-Pierre Cargol (Victor de l'Aveyron), François Truffaut (le docteur Jean Itard), Françoise Seigner (Mme Guérin), Jean Dasté (Philippe Pinel), Claude Miller (M. Lémeri).
pp. *14*, 49, 61, 63, *63*, 64, 67, 68, 69, *69*, 70, 71, 72, 76, 87, 106, 129.

Domicile conjugal (1970)

S : François Truffaut, Claude de Givray et Bernard Revon. Ph : Nestor Almendros (Eastmancolor; 1,66). M : Antoine Duhamel.
Prod. : Les Films du Carrosse, Valoria Films, Fida Cinematografica. DP : Claude Miller. PE : Marcel Berbert. Int : Jean-Pierre Léaud (Antoine Doinel), Claude Jade (Christine Doinel), Hiroko Berghauer (Kyoko), Daniel Ceccaldi (Lucien Darbon), Claire Duhamel (Mme Darbon), Daniel Boulanger (le ténor).
pp. 44, 47, *48*, 49, *49*, *51*, 55, 63, 96.

Les Deux Anglaises et le continent (1971)

S : François Truffaut et Jean Gruault, d'après le roman d'Henri-Pierre Roché (Gallimard). Ph : Nestor Almendros (Eastmancolor; 1,66). M : Georges Delerue. Prod. : Les Films du Carrosse, Cinétel. DP : Claude Miller. PE : Marcel Berbert. Int : Jean-Pierre Léaud (Claude Roc), Kika Markham (Anne), Stacey Tendeter (Murie), Sylvia Marriott (Mrs Brown), Philippe Léotard (Diurka).
pp. *14*, *15*, 44, 49, *52*, *53*, 54, *55*, 57, 63, 76.

Une belle fille comme moi (1972)

S : François Truffaut et Jean-Loup Dabadie, d'après un roman de Henry Farrel (Gallimard). Ph : Pierre-William Glenn (Eastmancolor; 1,66). M : Georges Delerue. Prod. : Les Films du Carrosse, Columbia. DP : Claude Miller. PE : Marcel Berbert. Int : Bernadette Lafont (Camille Bliss), Claude Brasseur (Maître Murène), Charles Denner (Arthur, le dératiseur), Guy Marchand (Sam Golden, le chanteur), André Dussolier (Stanislas Previne, le sociologue), Philippe Léotard (Clovis Bliss, le mari), Anne Kreis (Hélène, la secrétaire).
pp. 63, *63*, 64, 69, 70, *70*, *71*, 72, 73, 76, 88.

La Nuit américaine (1973)

S : François Truffaut, Suzanne Schiffman et Jean-Louis Richard. Ph : Pierre-William Glenn (Eastmancolor; 1,66). M : Georges Delerue. Prod. : Les Films du Carrosse, PECF, Produzione Internazionale Cinematografica. DP : Claude Miller. PE : Marcel Berbert. Int : Jacqueline Bisset (Julie Baker/Nelson-Pamela), Valentina Cortese (Séverine), Jean-Pierre Aumont (Alexandre), Jean-Pierre Léaud (Alphonse), François Truffaut (Ferrand, le metteur en scène), Nathalie Baye (Joëlle, la scripte), Graham Greene et Marcel Berbert (les hommes des assurances anglaises).
pp. 44, 55, 58, *58*, *59*, 60, *60*, 61, *61*, 63, 85, 87, 97, 101, 111, 129.

L'Histoire d'Adèle H. (1975)

S : François Truffaut, Jean Gruault et Suzanne Schiffman, avec la collaboration de France

Vernor-Guille, d'après le *Journal* d'Adèle Hugo (Minard). Ph : Nestor Almendros (Eastmancolor; 1,66). M : Maurice Jaubert. Prod. : Les Films du Carrosse, Les Artistes Associés. DP : Claude Miller. PE : Marcel Berbert. Int : Isabelle Adjani (Adèle Hugo), Bruce Robinson (Lieutenant Pinson), Sylvia Marriott (Mrs Saunders), Reubin Dorey (Mr Saunders), Joseph Blatchley (le libraire Whistler), François Truffaut (un officier). pp. 76, *76*, 77, *77*, 78, *78*, 80, 81, 82, 83, 85, 104.

L'Argent de poche (1976)

S : François Truffaut et Suzanne Schiffman. Ph : Pierre-William Glenn (Eastmancolor; 1,66). M : Maurice Jaubert. Prod. : Les Films du Carrosse. DP : Roland Thénot. PE : Marcel Berbert. Int : Jean-François Stévenin (Jean-François Richet, l'instituteur), Virginie Thévenet (Lydie Richet), Geory Desmouceaux (Patrick Desmouceaux), Philippe Goldman (Julien Leclou), Laura Truffaut (Madeleine Doinel), Ewa Truffaut (Patricia), Sylvie Grézel (Sylvie). pp. 77, *84*, 85, *85*, 86, *86*, 87, *87*, 88.

L'homme qui aimait les femmes (1977)

S : François Truffaut, Michel Fermaud et Suzanne Schiffman. Ph : Nestor Almendros (Eastmancolor; 1,66). M : Maurice Jaubert. Prod. : Les Films du Carrosse, Les Artistes Associés. DP : Roland Thénot. PE : Marcel Berbert. Int : Charles Denner (Bertrand Morane), Brigitte Fossey (Geneviève Bigey, éditrice), Martine Chassaing (Denise), Nelly Borgeaud (Delphine Grezel), Geneviève Fontanel (Hélène, marchande de lingerie), Nathalie Baye (Martine Desdoits), Leslie Caron (Véra, la revenante), Roger Leenhardt (M. Bétany, éditeur). pp *15*, 60, 76, 88, *88*, 89, *99*, 129.

La Chambre verte (1978)

S : François Truffaut et Jean Gruault, d'après *L'Autel des morts*, *Les Amis des amis* et *La Bête dans la jungle* d'Henry James. Ph : Nestor Almendros (Eastmancolor). M : Maurice Jaubert. Prod. : Les Films du Carrosse, Les Artistes Associés. DP : Roland Thénot. PE : Marcel Berbert. Int : François Truffaut (Julien Davenne), Nathalie Baye (Cécilia Mandel), Jane Lobre (Mme Rambaud, la gouvernante), Jean Dasté (Bernard Humbert), Patrick Maléon (le petit Georges). pp. 75, *75*, 77, 90, *91*, 93, *93*, 129.

L'Amour en fuite (1979)

S : François Truffaut, Marie-France Pisier, Jean Aurel et Suzanne Schiffman. Ph : Nestor Almendros (Eastmancolor; 1,66). M : Georges Delerue. Prod. : Les Films du Carrosse. DP : Roland Thénot. PE : Marcel Berbert. Int : Jean-Pierre Léaud (Antoine Doinel), Marie-France Pisier (Colette), Claude Jade (Christine), Dani (Liliane), Dorothée (Sabine), Rosy Varte (la mère de Colette), Marie Henriau (juge divorce), Daniel Mesguich (Xavier, le libraire). pp. 44, *51*, *95*, 96, *96*, 98.

Le Dernier Métro (1980)

S : François Truffaut, Suzanne Schiffman et Jean-Claude Grumberg. Ph : Nestor Almendros (Fujicolor; 1,66). M : Georges Delerue. Prod. : Les Films du Carrosse, TF1, SEDIF, SFP. DP : Jean-José Richer. Int : Catherine Deneuve (Marion Steiner), Gérard Depardieu (Bernard Granger), Heinz Bennent (Lucas Steiner), Jean Poiret (Jean-Loup Cottins), Andréa Ferréol (Arlette Guillaume), Paulette Dubost (Germaine Fabre), Sabine Haudepin (Nadine Marsac), Jean-Louis Richard (Daxiat). pp.*88*, 95, 96, 98, *98*, 101, 102, *103*, 111, 128, 129.

La Femme d'à côté (1981)

S : François Truffaut, Suzanne Schiffman et Jean Aurel. Ph : William Lubtchansky (Fujicolor; 1,66). M : Georges Delerue. Prod. : Les Films du Carrosse, TF1, Soprofilms. DP : Armand Barbault. Int : Gérard Depardieu (Bernard Coudray), Fanny Ardant (Mathilde Bauchard), Henri Garcin (Philippe Bauchard), Michèle Baumgartner (Arlette Coudray), Véronique Silver (Mme Jouve), Roger Van Hool (Roland Duguet), Philippe Morier-Genoud (le psychanalyste). pp. 96, 102, *102*, 103, 104, 105, 109, 128-129.

Vivement dimanche! (1983)

S : François Truffaut, Suzanne Schiffman et Jean Aurel, d'après le roman de Charles William (Gallimard). Ph : Nestor Almendros (1,66). M : Georges Delerue. Prod. : Les Films du Carrosse, Films A2, Soprofilms. DP : Armand Barbault. Int : Fanny Ardant (Barbara Becker), Jean-Louis Trintignant (Julien Vercel), Philippe Laudenbach (maître Clément), Caroline Sihol (Marie-Christine Vercel), Philippe Morier-Genoud (commissaire Santelli), Xavier Saint-Macary (Bertrand Fabre, photographe), Jean-Pierre Kalfon (Jacques Massoulier). pp. *88*, 96, *103*, 105, *105*, 106, *107*, 109, 110.

BIBLIOGRAPHIE

- Almendros, Nestor, *Un homme à la caméra*, Hatier, Paris, 1979.
- Baecque de, Antoine et Toubiana, Serge, *François Truffaut, Le scénario d'une vie*, Gallimard, Paris, 1996.
- Beylie, Claude, *Ecran*, mars 1976, interview de Truffaut sur *L'Argent de poche*.
- Cahiers du cinéma, *Le Roman de François Truffaut*, Editions de l'Etoile, Paris, 1985.
- Desjardins, Aline, *Aline Desjardins s'entretient avec François Truffaut*, Ramsay-Poche-Cinéma, 1993.
- Gillain, Anne (sous la direction de), *Le Cinéma selon François Truffaut*, Flammarion, Paris, 1988.
- Insdorf, Annette, *François Truffaut : le cinéma est-il magique?*, Ramsay, Paris, 1989.
- Rabourdin, Dominique (sous la direction de), *Truffaut par Truffaut*, Editions du Chêne, Paris, 1985.
- Truffaut, François, *Les Aventures d'Antoine Doinel*, Mercure de France, Paris, 1970.

- Truffaut, François, *Les Quatre Cents Coups*, en collaboration avec Marcel Moussy, cinéroman, Gallimard, Paris, 1959.
- Truffaut, François, *L'Argent de poche*, cinéroman, Flammarion, Paris, 1976.
- Truffaut, François, *L'homme qui aimait les femmes*, cinéroman, Flammarion, Paris, 1977.
- Truffaut, François, *Le Dernier Métro*, suivi d'*Une visite*, L'Avant-Scène du cinéma, n° 303/304, mars 1983.
- Truffaut, François, *Les Films de ma vie*, Flammarion, Paris, 1975.
- Truffaut, François, *Le Plaisir des yeux*, Editions des Cahiers du cinéma, Paris, 1987.
- Truffaut, François, *Le Cinéma selon Hitchcock*, Gallimard, Paris, 1993.
- Truffaut, François, Introduction au *Cinéma de l'Occupation et de la Résistance* d'André Bazin, 10/18, Paris, 1975.
- Truffaut, François, «Une certaine tendance du cinéma français», *Cahiers du Cinéma*, n° 31, janvier 1954.

TABLE DES ILLUSTRATIONS

19b Couverture du premier numéro des *Cahiers du cinéma*.
20-21 Scènes des *400 Coups* et photo de tournage de la dernière séquence du film : Truffaut et Léaud à bord de la voiture louée pour le travelling, photographies de plateau d'André Dino.
22 François Truffaut, Madeleine Morgenstern et leur fille Laura, en juillet 1962 à Saint-Paul-de-Vence, photographie de G. Botti.
23h Scène de *Tirez sur le pianiste,* photogramme.
23m Affiche française pour *Tirez sur le pianiste.*
22-23b Truffaut, Charles Aznavour et Marie Dubois tournant *Tirez sur le pianiste,* photographie de plateau de Robert Lachenay.
23b Premier état manuscrit de la continuité dialoguée de *Tirez sur le pianiste.* Fonds François Truffaut, BIFI, Paris.
24 Scène de la plage de *Jules et Jim,* photogramme.
24-25h Scène du pont de chemin de fer de *Jules et Jim,* photographie de plateau de Raymond Cauchetier.
25b Détail de l'affiche française du film, par Christian Broutin.
26 Oskar Werner et Jeanne Moreau dans une séquence de *Jules et Jim,* photogrammes.
27h Couverture

du roman de Henri-Pierre Roché, éditions Gallimard.
27b Jeanne Moreau et Truffaut à la remise des Etoiles de cristal de l'Académie du Cinéma pour *Jules et Jim* le 18 décembre 1962, Paris.

CHAPITRE II

28 Truffaut et Hitchcock à Hollywood en 1962 pour la série d'interviews.
29 Gros plan à la Hitchcock sur le numéro de téléphone de l'hôtesse de l'air dans *La Peau douce,* photogramme.
30 Gros titre de journal sur le fait divers ayant inspiré Truffaut. Archives des Films du Carrosse.
30-31h Françoise Dorléac et Jean Desailly dans *La Peau douce,* photogramme.
31 Hitchcock, Truffaut et Helen Scott, 1962.
32 Séquence de la scène de l'ascenseur dans *La Peau douce,* photogrammes.
33m Affiche française de *Fahrenheit 451,* par Guy-Gérard Noël.
33b Oskar Werner dans *Fahrenheit 451,* photogramme.
34 Oskar Werner et Julie Christie au sortir de l'aérotrain : «Le lundi nous brûlons Miller…», photogramme.
34-35 Truffaut et Julie Christie sur le plateau de *Fahrenheit 451.*
35 Face-à-face entre le pompier et la

vieille femme, photogramme extrait de *Fahrenheit 451.*
36h Jeanne Moreau en mariée sort en courant de l'immeuble où elle vient de tuer le premier homme (Claude Rich), photogramme extrait de *La mariée était en noir.*
36-37b Jeanne Moreau posant en Diane chasseresse pour Charles Denner, photogramme extrait de *La mariée était en noir.*
37 Détail du premier état de la continuité dialoguée (scène de la pose). Archives des Films du Carrosse.
38 Truffaut à la caméra sur le tournage de *La mariée était en noir* (22 mai 1967), photographie de Marilu Parolini.
39m Jean-Paul Belmondo vient d'aller chercher Deneuve au bateau et la ramène en voiture chez lui, photogramme extrait de *La Sirène du Mississippi.*
39b Une des dernières scènes de *La Sirène…* : Catherine Deneuve lit le paquet de mort aux rats, photogramme.
40h Affiche américaine de *La Sirène…,* non signée.
40-41b Deneuve, Belmondo et Truffaut sur le tournage de la dernière séquence de *La Sirène…,* photographie de Léonard de Raemy.
41 Plan final : les deux

héros s'éloignent dans la neige, photogramme extrait de *La Sirène…*

CHAPITRE III

42 Truffaut et Léaud sur le tournage des *Deux Anglaises et le continent.*
43 Scène du visionnage des rushes de *Je vous présente Pamela* dans *La Nuit américaine* : Léaud est projeté à l'écran, photogramme.
44 Jean-Pierre Léaud et Marie-France Pisier au cinéma dans *Antoine et Colette,* photographie de plateau de Raymond Cauchetier.
45h Affiche française de *Baisers volés* par Ferracci.
45b Truffaut lors des manifestations pour soutenir Henri Langlois en 1968.
46 Delphine Seyrig dans *Baisers volés,* photographie de plateau de Raymond Cauchetier.
47m Léaud devant la glace dans *Baisers volés,* photogramme.
47b Claude Jade dans *Baisers volés,* photogramme.
48h Truffaut démontant la scène chez la Japonaise, pour *Domicile conjugal,* photographie de plateau de Pierre Zucca.
48-49b Truffaut sur une plate-forme caméra sur le tournage des *Deux Anglaises et le continent,* photographie de plateau de Pierre

INDEX

CRÉDITS PHOTOGRAPHIQUES

ADAGP 1996/Musée national d'art moderne, Paris. 54h. Alain Venisse 103, 106-107b, 109m. André Dino 12, 17, 20-21, 56h. Archives Photos, Paris. 45b. Bernard Prim. 80-81. BIFI, Paris 23b, 113. Cahiers du Cinéma, Paris 19b, 19m, 34-35, 52-53m, 101, 110, 115, 117. Christian Broutin 25b. Coll. Robert Lachenay 17h, 22-23b. Dominique Le Rigoleur 57b, 88-89b, 90-91b. Droits réservés 10, 13, 14b, 14-15, 15, 22, 40h, 61d, 64h, 75, 77, 78, 86m, 93h, 94. Edimédia, Paris 50, 114. Les Films du Carrosse, Paris 23h, 24, 26, 29, 30-31h, 32, 33b, 34, 35, 36h, 36-37b, 39b, 39m, 41, 43, 47b, 47m, 49h, 51, 52h, 55, 67, 69, 70-71h, 72, 73, 74, 79, 80, 82, 83h, 84 , 87, 89, 90, 91b, 92-93, 95, 96-97h, 98bd, 100, 102-103, 104b, 104h, 105, 106m, 107h, 108, 120, 121, 122, 123, 127. Gamma/Bernier Sola, Paris 132-133. Guy-Gérard Noël 33m. Hélène Jeanbrau 4eme plat haut, 85, 86b. Jean-Pierre Fizet 6-7, 98-99h, 111. Keystone, Paris 18-19h, 27b. Kipa Press/Bernard Prim 4-5, 76-77b. Léonard de Raemy. 40-41b. Magnum/Philippe Halsman 28, 31. Magnum/Raymond Depardon 1, 42, 54b, 64b, 65h. Marilu Parolini 38. Musée national d'Art moderne, Centre Georges-Pompidou, Paris 118. Photo Gallimard/DR 16g, 23m, 27h, 30, 37, 65b. Pierre Zucca 2-3, 48-49b, 48h, 52-53b, 57h, 58, 58-59, 58-59b, 60, 63, 66, 68-69, 71b. Pierre Zucca/Kipa Press 1er plat haut et bas, 112. Raymond Cauchetier 11, 25h, 44, 46, 56b, 119. DR/Boris Grinsson 16d. DR/Ferracci 4eme plat bas, 45h, 61g, 97b, 98bg. DR/Landi 62. Musées de la Ville de Paris 83b. Stills/Tourte, Paris 130. Sygma/W. Karel Dos, 8-9, 109b. Vu/Françoise Huguier, Paris 128.

REMERCIEMENTS

L'éditeur et l'auteur souhaitent remercier tout particulièrement Madeleine Morgenstern et Monique Holveck aux Films du Carrosse. Ils remercient également Laurence Gachet et la société de distribution AFMD; Robert Lachenay; Dominique Roulet; Columbia TriStar; Laurent Bilia et la BIFI; Sylvie Pliskin qui a réalisé les photogrammes.
L'auteur adresse ses plus chaleureux remerciements à Cécile Dutheil de la Rochère.

ÉDITION ET FABRICATION

DÉCOUVERTES GALLIMARD
DIRECTION Pierre Marchand et Elisabeth de Farcy.
GRAPHISME Alain Gouessant. FABRICATION Violaine Grare. PROMOTION-PRESSE Valérie Tolstoï.

FRANÇOIS TRUFFAUT, LES FILMS DE SA VIE
EDITION Delphine Babelon et Cécile Dutheil de la Rochère. MAQUETTE Catherine Le Troquier et Dominique Guillaumin (Témoignages et Documents). LECTURE-CORRECTION François Boisivon et Pierre Granet. PHOTOGRAVURE Arc-en-Ciel. MONTAGE PAO Palimpseste.

Table des matières